UN ÉTÉ AVEC HOMÈRE

DU MÊME AUTEUR

CHEZ LE MÊME ÉDITEUR

Petit Traité sur l'immensité du monde, 2005.

Éloge de l'énergie vagabonde, 2007.

Aphorismes sous la lune et autres pensées sauvages, 2008.

Aphorismes dans les herbes (illustrations de Bertrand de Miollis), 2011.

Géographie de l'instant, 2012.

Anagrammes à la folie (avec Jacques Perry-Salkow ; illustrations de Donatien Mary), 2013.

Une très légère oscillation. Journal 2014-2017, 2017.

Sylvain Tesson

UN ÉTÉ AVEC HOMÈRE

ÉQUATEURS FRANCE INTER

Sites Internet : www.equateurs.fr
www.franceinter.fr

contact@editionsdesequateurs.fr

Omnia pro illa.

Τό πᾶν δι'αὐτήν.

Tout pour elle.

Tutto per lei.

AVANT-PROPOS

Ce fut un honneur, un bonheur, d'enregistrer *Un été avec Homère.* L'occasion m'était offerte de plonger dans l'*Iliade* et l'*Odyssée.* Un voyage permet de se laver aux cascades. De même, on éprouve jouissance à se lustrer dans un poème. Pendant des mois, je respirais au rythme homérique, entendais la scansion des vers, rêvais de batailles et d'embarquements. Bientôt, l'*Iliade* et l'*Odyssée* m'apprirent à vivre mieux. En outre, elles commentaient notre actualité. C'est le miracle antique. Il y a deux mille cinq cents ans, un poète, quelques penseurs, des philosophes jetés (ou débarqués) sur les cailloux de l'Égée ont délivré au monde des enseignements dont l'acuité n'a pas été amoindrie par les siècles ! Les Grecs nous renseignent sur ce que nous ne sommes pas encore devenus.

Vingt et unième siècle : le Moyen-Orient se déchire, Homère décrit la guerre. Les gouvernements se succèdent, Homère peint la dévoration des hommes. Les Kurdes se battent avec héroïsme sur leur terre, Homère raconte la lutte d'Ulysse pour recouvrer son pouvoir usurpé. Les catastrophes écologiques nous terrifient, Homère brosse la fureur de la nature devant la folie de l'homme. Tout événement contemporain trouve écho dans le poème ou, plus précisément, chaque soubresaut historique est le reflet de sa prémonition homérique.

Ouvrir l'*Iliade* et l'*Odyssée* revient à lire un quotidien. Ce journal du monde, écrit une fois pour toutes, fournit l'aveu que rien ne change sous le soleil de Zeus : l'homme reste fidèle à lui-même, animal grandiose et désespérant, ruisselant de lumière et farci de médiocrité. Homère permet d'économiser l'abonnement à la presse.

Apparaît Ulysse. Qui est cet homme paradoxal ? Il aime l'aventure mais veut rentrer chez lui. Il se montre curieux de l'univers mais nostalgique de sa maison, il goûte aux nymphes mais pleure Pénélope, se jette dans l'aventure mais rêve du foyer. Ulysse « faux voyageur est aventurier par force et casanier par vocation », ironisait Vladimir Jankélévitch dans *L'Aventure*. Ce champion de force et de ruse se montre insaisissable, tiraillé entre les penchants. C'est toi, lecteur, c'est moi, c'est nous : notre frère. On avance dans l'*Odyssée* comme devant le miroir de sa propre âme. Là réside le génie : avoir tracé en quelques chants le contour de l'homme. Personne depuis ne s'est refait.

Au long de ces lignes chatoient la lumière, l'adhésion au monde, la tendresse pour les bêtes, les forêts – en un mot, la douceur de la vie. N'entendez-vous pas la musique des ressacs en ouvrant ces deux livres ? Certes, le choc des armes la recouvre parfois. Mais elle revient toujours, cette chanson d'amour adressée à notre part de vie sur la Terre. Homère est le musicien. Nous vivons dans l'écho de sa symphonie.

Ce poème me versait dans l'organisme les sucs d'une vitalité perdue. Lire Homère soulève. C'est la fonction organique des œuvres éternelles. « De temps en temps, les Grecs offraient pour ainsi dire des fêtes à toutes leurs passions, à tous leurs mauvais penchants naturels... c'est là ce que le monde a de proprement païen », martèle Nietzsche dans *Ecce homo*. Entrez dans la fête ! Elle bat toujours son plein.

Les textes que vous vous apprêtez à lire sont les retranscriptions de mes émissions. On ne s'adresse pas aux auditeurs comme aux lecteurs. Parler n'est pas écrire. À la table d'enregistrement, la parole est fluctuante, plus libre, moins *bordée* comme on le dit d'une voile. Après tout, parler d'Homère dans un micro est une histoire grecque : c'est une navigation sur les ondes. On pardonnera, j'espère, les embardées.

Les citations de l'*Iliade* et de l'*Odyssée* proviennent des traductions en langue française de Philippe Jaccottet pour l'*Odyssée* (Éd. La Découverte, 1982, 2004) et, pour l'*Iliade* (Éd. du Seuil, 2010, 2012), de Philippe Brunet, aède contemporain qui a destiné sa traduction à la lecture à haute voix et tenté de restituer le rythme du vers homérique avec son solfège, ses legatos, ses staccatos. Elles sont imprimées en couleur bleue. Bleu comme le ciel et comme sa sœur, la mer. Bleu comme le soleil et peut-être comme les yeux d'Homère, seul *voyant* aveugle.

D'OÙ VIENNENT
CES MYSTÈRES ?

LA PROXIMITÉ DES ŒUVRES ÉTERNELLES

L'*Iliade* est le récit de la guerre de Troie. L'*Odyssée* raconte le retour d'Ulysse en son royaume d'Ithaque. L'une décrit la guerre, l'autre la restauration de l'ordre. Toutes deux dessinent les contours de la condition humaine. À Troie, la ruée des masses enragées, manipulées par les dieux. Dans l'*Odyssée*, Ulysse, circulant entre les îles, et découvrant l'échappatoire. Entre les deux poèmes, une très violente oscillation : malédiction de la guerre ici, possibilité d'une île là-bas, temps des héros d'un côté, aventure intérieure de l'autre.

Ces textes ont cristallisé des mythes qui se répandaient par le truchement des aèdes dans les populations des royaumes mycéniens et de la Grèce archaïque il y a deux mille cinq cents ans. Ils nous semblent étranges, parfois monstrueux. Ils sont peuplés de créatures hideuses, de magiciennes belles comme la mort, d'armées en déroute, d'amis intransigeants, d'épouses sacrificielles et de guerriers furieux. Les tempêtes se lèvent, les murailles s'écroulent, les dieux font l'amour, les reines sanglotent, les soldats sèchent leurs larmes sur des tuniques en sang, les hommes s'étripent. Puis une scène tendre interrompt le massacre : les caresses arrêtent la vengeance.

Préparons-nous : nous passerons des fleuves et des champs de bataille. Nous serons jetés dans la mêlée, conviés à l'assemblée des dieux. Nous essuierons des tempêtes et des averses de lumière, serons nimbés de brumes, pénétrerons dans des alcôves, visiterons des îles, prendrons pied sur des récifs.

Parfois, des hommes mordront la poussière, à mort. D'autres seront sauvés. Toujours les dieux veilleront. Et toujours le soleil ruissellera et révélera la beauté mêlée à la tragédie. Des hommes se démèneront pour mener leurs entreprises mais, derrière chacun, un dieu jouera son jeu. L'homme sera-t-il libre de ses choix ou obéira-t-il à son destin ? Est-il un pauvre pion ou une créature souveraine ?

Îles, caps et royaumes déploient le décor de ces poèmes. Dans les années 1920, le géographe Victor Bérard en effectua une très précise localisation. Du *Mare Nostrum* a jailli l'une des sources de notre Europe, fille d'Athènes autant que de Jérusalem.

D'où viennent ces chants, surgis des profondeurs, explosant dans l'éternité ? Pourquoi conservent-ils à nos oreilles cette incomparable familiarité ? Comment expliquer qu'un récit de deux mille cinq cents ans d'âge résonne avec un lustre neuf, un pétillement de calanque ? Pourquoi ces vers à la jeunesse immortelle nous apprennent encore l'énigme de nos lendemains ?

Pourquoi ces dieux et ces héros semblent-ils si amicaux ?

Les héros de ces chants vivent encore en nous. Leur courage nous fascine. Leurs passions nous sont familières. Leurs aventures ont forgé des expressions que nous employons. Ils sont nos frères et sœurs évaporés : Athéna, Achille, Ajax, Hector, Ulysse et Hélène ! Leurs épopées ont engendré ce que nous sommes, nous autres, Européens : ce que nous sentons, ce que nous pensons. « Les Grecs ont civilisé le monde », écrivait Chateaubriand. Homère continue à nous aider à vivre.

Il y a deux hypothèses à ce mystère de la présence d'Homère.

Soit les dieux ont vraiment existé et inspiré leur hagiographe. Ils lui ont insufflé une prescience. Lancé dans l'abîme des temps le poème était prémonitoire, destiné à rencontrer notre époque.

Soit rien n'a changé sous le soleil de Zeus, et les thèmes qui traversent les poèmes – la guerre et la gloire, la grandeur et la douceur, la peur et la beauté, la mémoire et la mort – sont le combustible du brasier de l'éternel retour.

Je crois à cela : l'invariabilité de l'homme. Les sociologues modernes se persuadent que l'homme est *perfectible*, que le *progrès* le bonifie, que la *science* l'améliore. Fadaises ! Le poème homérique est immarcescible, car l'homme, s'il a changé d'habit, est toujours le même personnage, mêmement misérable ou grandiose, mêmement médiocre ou sublime, casqué sur la plaine de Troie ou en train d'attendre l'autobus sur les lignes du siècle XXI.

TOUTE AFFAIRE CESSANTE

Vous souvenez-vous du temps de notre enfance où nous devions lire ces textes à longues barbes ? Nous étions en sixième, Homère au programme. Nous étions faits pour courir les bois. Nous nous ennuyions ferme et regardions par la fenêtre de la classe un ciel où n'apparaissait jamais aucun char. Pourquoi ne pas laisser infuser en nous un poème d'or, d'une modernité électrique, éternel parce que originel, un chant de bruit et de fureur, riche de leçons, et d'une beauté si douloureuse que les poètes continuent aujourd'hui à le murmurer en pleurant ?

Un conseil dadaïste : quittons nos préoccupations accessoires ! Remettons la vaisselle à demain ! Éteignons les écrans ! Laissons pleurer les nourrissons, et ouvrons sans tarder l'*Iliade* et l'*Odyssée* pour en lire des passages à haute voix, devant la mer, la fenêtre d'une chambre, au sommet d'une montagne. Laissons monter en nous les chants inhumainement sublimes. Ils nous aideront dans le brouillard de notre temps. Car d'horribles siècles s'avancent. Demain, des drones surveilleront un ciel pollué de dioxyde, des robots contrôleront nos identités biométriques et il sera interdit de revendiquer une identité culturelle. Demain, dix milliards d'êtres humains connectés les uns aux autres pourront s'espionner en temps continu. Des multinationales nous proposeront la possibilité de vivre quelques décennies de plus en monnayant des opérations de chirurgie génique. Homère, vieux compagnon d'aujourd'hui, peut chasser ce cauchemar post-humaniste. Il nous offre une conduite : celle d'un homme déployé dans un monde chatoyant et non pas augmenté sur une planète rétrécie.

HOMÈRE, NOTRE PÈRE

Quinze mille vers de l'*Iliade*, douze mille de l'*Odyssée* : à quoi bon écrire encore !

Les fresques pariétales de Lascaux auraient pu mettre un terme à la production picturale, l'*Iliade* et l'*Odyssée* auraient dû clore la création littéraire. Nos bibliothèques ne crouleraient pas sous le poids des mots ! L'*Iliade* et l'*Odyssée* inaugurent l'âge de la littérature et achèvent le cycle de la modernité.

Tout se déploie en quelques hexamètres : la grandeur et la servitude, la difficulté d'être, la question du destin et de la liberté, le dilemme de la vie paisible et de la gloire éternelle, de la mesure et du déchaînement, la douceur de la nature, la force de l'imagination, la grandeur de la vertu et la fragilité de la vie…

Le mystère plane encore sur le poseur de ces bombes poétiques !

Qui était Homère ? Comment un homme a-t-il pu produire pareil radium ? La question passionna Nietzsche et des savants se disputent encore. Ce problème obsède notre époque, *pipolisée*. Chaque siècle réduit les œuvres de génie à ses petites préoccupations. Notre siècle égalitariste s'intéresse aux revendications de l'ego. Bientôt, les spécialistes de l'Antiquité se demanderont si Homère était un écrivain transgenre.

Mais Homère balaie lui-même la question. Dès l'ouverture de l'*Odyssée*, il convoque Mnémosyne. La déesse de la mémoire va conter l'histoire et lui, le poète, se contentera de recueillir le suc de la mélodie. À quoi bon démasquer le scribe puisque le texte tombe de la bouche d'une divinité :

Ô Muse, conte-moi l'aventure de l'Inventif :
celui qui pilla Troie, qui pendant des années erra,
voyant beaucoup de villes, découvrant beaucoup d'usages,
souffrant beaucoup d'angoisses dans son âme sur la mer
pour défendre sa vie et le retour de ses marins
sans en pouvoir pourtant sauver un seul, quoi qu'il en eût :
par leur propre fureur ils furent perdus en effet,
ces enfants qui touchèrent aux troupeaux du dieu d'En Haut,
le Soleil qui leur prit le bonheur du retour...
À nous aussi, fille de Zeus, conte un peu ces exploits !

(*Odyssée*, I, 1-10.)

Homère vécut au VIIIe siècle avant J.-C. « Quatre cents ans avant moi », prétendait Hérodote. Il n'est donc pas un reporter de guerre puisque la guerre de Troie – sujet de l'*Iliade* – eut lieu en 1200 avant J.-C. Ces datations proviennent des découvertes archéologiques effectuées dans les steppes de l'Asie Mineure par un Allemand fantasque qui inspira l'Indiana Jones de Steven Spielberg : Heinrich Schliemann. La civilisation mycénienne avait couru de 1600 à 1200 avant J.-C. puis disparu, effondrée sous son propre poids. Il y aurait donc eu quatre cents ans de transmissions orales de souvenirs, de légendes, d'épopées avant qu'un être, affublé du nom d'Homère, ne s'avançât sur le rivage et ne rassemblât ces matériaux pour constituer un poème. Dès lors, trois hypothèses.

Soit apparut un génie pur, barbu et aveugle, qui aurait tout inventé *ex nihilo*, quatre cents ans après la guerre de Troie. Ce créateur inégalable, démiurge doublé d'un monstre, aurait inventé la littérature comme on découvre le feu.

Soit Homère est le nom donné à une collectivité de rhapsodes, de bardes et de poètes. Cette race de conteurs courut jusqu'à une date récente sur les rivages de l'Égée et dans les Balkans, capables d'improviser de longs poèmes épiques. On dirait aujourd'hui un « collectif d'artistes ». Au fil des siècles, ils auraient rassemblé des traditions et agencé un texte avant de l'augmenter, de le rapiécer y intercalant une pièce par-ci, y ajoutant un morceau de bravoure par-là. L'*Iliade* et l'*Odyssée* seraient cette étoffe arlequinée, cette *mise en ordre* d'un patrimoine oral. Les ajouts disparates proviendraient de ces « interpolations ».

Soit – thèse de Jacqueline de Romilly – la vérité se niche à mi-route. Homère aurait été le grand ravaudeur. Il aurait attrapé les récits de la tradition dans son filet à papillons avant de les pétrir à sa pâte, dans un style unique – sa manière. Souvenons-nous de Brahms recomposant les danses paysannes magyares et les versant au patrimoine classique. Homère aurait été l'alchimiste recueillant dans un vase *unique* les sources *multiples*. Et il n'aurait pas hésité à mélanger des hauts faits et des épisodes qui n'étaient pas contemporains les uns des autres. Qu'est-ce que l'inspiration, sinon cette méthode de *cuisine* ?

Source disparate ou unitaire, le texte fut contemporain de l'époque où les Grecs du VIIIe siècle s'inspirèrent de l'alphabet phénicien et retrouvèrent un usage de l'écriture, disparu pendant les « âges sombres » qui suivirent l'effondrement de Mycènes. Les clercs débattent toujours pour savoir si les sociétés de l'*Iliade* et de l'*Odyssée* sont celles de l'époque mycénienne ou des âges obscurs pendant lesquels les poussées indo-européennes se répandirent sur les archipels de la mer Égée.

Subtilités byzantines ! Homère est d'abord le nom d'un miracle : ce moment où l'humanité a trouvé une possibilité de fixer dans sa mémoire une réflexion sur sa condition.

Homère – avant d'être un personnage de biographie (quel ennui !) – est une voix. Il donne leur chance aux hommes de comprendre comment ils sont devenus ce qu'ils sont. A-t-on besoin de savoir que Balzac buvait du café pour lire sa *Comédie humaine* ? Faut-il connaître les coordonnées GPS de Combray pour rêvasser à Gilberte ? Dieux de l'Olympe ! les spécialistes consacrent tant d'énergie à enquêter sur la plausibilité des choses qu'ils finissent par en négliger la substance !

Pourquoi ne fredonne-t-on pas les vers d'Homère comme des tubes de l'été ? Nos grands-parents apprenaient par cœur des passages de l'*Iliade* et de l'*Odyssée*. Nous serions en peine d'en citer un vers. Notre école a-t-elle négligé les trésors homériques ?

Ce serait un malheur de priver les générations de ces chants divins, ces poèmes d'or, ce verbe en feu. Grâce aux efforts des pédagogues du ministère de l'Éducation nationale, les humanités gréco-latines reculent. Une meute d'idéologues en charge de réformer l'école est parvenue en cinq décennies à saigner les études antiques. Selon eux, il serait élitiste d'apprendre les langues mortes.

Nous demandons au personnel du ministère de l'Instruction de ne jamais mépriser l'enthousiasme du plus simple des mioches pour les aventures d'Ulysse, la tendresse d'Andromaque et l'héroïsme d'Hector.

L'archéologue Heinrich Schliemann écrit dans son journal : « Dès que j'ai su parler, mon père m'avait raconté les grands exploits des héros homériques ; j'aimais ces récits ; ils me charmaient ; ils m'enthousiasmaient. Les premières impressions que l'enfant reçoit lui restent pendant toute la vie. »

Depuis deux millénaires, l'*Iliade* et l'*Odyssée*, nourriture de l'âme européenne, ont été commentées par tous les lettrés et philosophes. Platon le savait : Homère a « instruit les Grecs ».

Chaque vers a été analysé des milliers de fois, jusqu'à la névrose. Certains exégètes ont consacré leur vie à un seul passage, écrit des livres à propos d'un seul adjectif (ainsi du mot « divin » dont Homère affuble le porcher d'Ulysse). Il est un peu intimidant de s'avancer sur le parvis de cet édifice de science ! Pourtant, chacun d'entre nous, malgré un Himalaya de gloses, de Virgile à Marcel Conche, de Racine à Shelley et Nietzsche, trouvera jouvence à progresser de lui-même dans le texte feuillu, à y extraire une référence, à y glaner un enseignement, à y découvrir un éclairage.

Dans l'histoire de l'humanité, elles sont peu nombreuses, les œuvres – grands textes des révélations religieuses mis à part –, à avoir suscité telle abondance. Cet exercice du commentaire est un jeu merveilleux. Le poète Philippe Jaccottet se montre tendrement ironique à l'égard de ce raz-de-marée de travaux. Évoquant, en son avertissement, son œuvre de traducteur, il écrit : « Il y aura d'abord eu pour nous comme une fraîcheur d'eau au creux de la main. Après quoi on est libre de commenter à l'infini si l'on veut. » On peut aussi faire comme Henry Miller qui joue au cancre et avoue à son débarquement en Grèce (dans *Le Colosse de Maroussi*) n'avoir pas lu Homère pour ne pas être influencé.

Préférons au contraire nous immerger dans le bain du poème et citer parfois ces vers comme des psaumes. Chacun trouvera dans la vasque un reflet de sa propre époque, une réponse à ses tourments, une illustration de ses expériences. Les uns y tireront une leçon. Les autres y chercheront un réconfort. Et, malgré les réquisitoires d'un petit-bourgeois nommé Bourdieu contre la race des érudits, chacun pourra se lustrer l'esprit à la musique de ces chants. Nul besoin pour cela d'être passé sous les portiques de l'Université.

LA GÉOGRAPHIE HOMÉRIQUE

Pour écrire *Un été avec Homère*, je me suis isolé dans les Cyclades. Pendant un mois, j'habitais un pigeonnier vénitien posté au-dessus de l'Égée, sur l'île de Tinos, face à Mykonos. Une chouette hantait la falaise toute proche. Ses cris battaient la nuit. Des terrasses, abandonnées aux chèvres, dévalaient vers la crique. Je lisais l'*Iliade* et l'*Odyssée* à la lueur d'une ampoule alimentée par un générateur. Un vent incessant me causait des tracas. En contrebas, la mer était frappée de rafales. La tempête crevait le satin des eaux à coups de poing. Mes pages s'arrachaient, les papiers s'envolaient. Les asphodèles courbaient la tête et des scolopendres couraient sur les murs. Pourquoi l'acharnement du vent ?

Il faut séjourner sur un caillou pour comprendre l'inspiration d'un artiste aveugle, vieux nourrisson allaité de lumière, d'écume, de vent. Le génie des lieux nourrit les hommes. Je crois à la perfusion de la géographie dans nos âmes. « Nous sommes les enfants de notre paysage », disait Lawrence Durrell.

Après ce séjour dans mon poste de garde, j'approchai la substance physique de l'*Odyssée* et de l'*Iliade*.

Henry Miller pensait que le *voyage* en Grèce était ponctué d'« apparitions spirituelles ». Il faut s'incorporer à la matière physique dans laquelle Homère sculpta son poème.

La lumière du ciel, le vent dans les arbres, les îles dans la brume, les ombres sur la mer, les tempêtes : je perçus les échos de l'héraldique antique. Chaque espace possède son écusson. En Grèce, il est frappé de vent, traversé de lumière, caparaçonné d'affleurements. Ulysse avait reçu ces mêmes signaux à bord de son bateau de peine. Les soldats de Priam et d'Agamemnon les avaient perçus sur la plaine de Troie. Vivre dans la géographie, c'est franchir la distance entre la chair du lecteur et l'abstraction du texte.

On pourrait considérer l'*Odyssée* et l'*Iliade* comme des poèmes sans topographie. Il n'y aurait nul besoin de les ancrer dans un *topos* puisqu'elles s'adresseraient au *non-lieu* universel. Leur intemporalité les vouerait à toute âme humaine. Après tout, les mythes n'ont jamais eu à s'appuyer sur le réel. L'Évangile n'a-t-il pas prospéré chez les Inuits autant qu'en Palestine ? Faut-il déterminer la forêt où Shakespeare campe *Le Songe d'une nuit d'été* pour s'éprendre de Puck ? Les idées ne requièrent pas de cartes géographiques et Homère se passe fort bien de guide Michelin. Pourtant, des chercheurs se sont obstinés à retracer les navigations d'Ulysse. Des archéologues, après qu'Heinrich Schliemann eut trouvé les ruines de Troie, ont voué leur vie à fouiller la cité de Priam. La géographie homérique est devenue une science à elle seule. Des savants poussèrent même plus loin les investigations. Certains voulurent prouver que les Achéens venaient de la mer Baltique et parlaient des langues indo-européennes. Alain Bombard prétendit qu'Ulysse avait franchi le détroit de Gibraltar et s'était aventuré jusqu'aux

Canaries et en Islande. Dans les années 1920, l'helléniste Victor Bérard retraça le parcours d'Ulysse [1] et identifia les lieux de l'*Odyssée*, situant par exemple le royaume de Circé en Italie, l'antre de Calypso au sud de Gibraltar, les îles d'Éole et du Soleil près de la Sicile, le territoire des Lotophages en Tunisie. Dans les années 1980, l'aventurier Tim Severin reconstitua un bateau de l'époque homérique et navigua dans l'archipel géo-poétique d'Ulysse en utilisant les techniques marines de l'époque. Ces Sherlock Holmes des études homériques perdirent peut-être leur temps à jouer à la carte au trésor au lieu de se contenter de la beauté du texte.

Pourtant, un poète n'est pas un ectoplasme fécondé d'abstractions. Les poètes comme les hommes vivent dans la réalité du monde. Ils respirent un air particulier, se nourrissent des produits de leur terre, regardent des paysages singuliers. La nature féconde le regard, le regard nourrit l'inspiration, l'inspiration engendre l'œuvre. L'*Iliade* et l'*Odyssée* n'auraient pas eu les mêmes accents si Homère avait été moldo-valaque.

À Tinos, effaré par les rafales et étourdi de lumière, je compris que la poésie homérique était née de la rencontre du génie des lieux et du génie d'un homme. Les poèmes aspiraient cet air, cette mer. Et si Homère avait disposé d'un tel réservoir d'images et d'analogies, c'est qu'il avait parcouru cette géographie, aimé cet espace, captant ici et là des visions

---

1. Voir *infra*, page 76.

qui n'auraient pas été les mêmes si elles avaient été moissonnées ailleurs.

Comme un homme nourrit un pan d'olivier, magnifique,
dans un champ solitaire, où l'eau ruisselle, abondante,
un jeune plant florissant et beau, que bercent les brises
selon le vent : il se couvre de blanches fleurettes écloses.
Mais survient soudain un vent soufflant en rafales,
qui d'un coup l'arrache au sol et l'étend sur la terre.
Tel fut le fils de Panthoos, Euphorbe âpre-frêne,
quand Ménélas l'occit, voulant le priver de ses armes.
Comme un lion nourri dans les monts, confiant dans sa force,
prend la plus belle vache, au milieu des bestiaux en pâture :
il lui brise le col, l'agrippant de ses crocs redoutables,
en premier lieu, puis suce son sang, dévorant ses viscères,
tous, tandis qu'autour de lui les chiens et les hommes
poussent leurs grands hurlements, de loin, mais pourtant se refusent
à l'attaquer de front : ils sont pris par leur peur blêmissante ;
ainsi personne n'avait en son cœur assez de courage
pour attaquer de front Ménélas à la gloire fameuse.

(*Iliade*, XVII, 53-69.)

HABITER LA LUMIÈRE

L'*Odyssée* et l'*Iliade* ruissellent de photons. Les Grecs ont toujours voué un culte à la lumière. Pour son malheur, Achille devient une ombre. Sortir du soleil constitue le plus funeste destin. On ne plaisante pas avec l'astre. La lumière inonde la vie, réjouit le monde. Elle lave les poèmes dans un or impalpable. Tout homme abordant aux rivages grecs cherche cette pluie. « Le motif principal en Grèce, c'est toujours la lumière », écrivait Maurice Barrès.

Depuis Homère, les écrivains voyageurs de l'Égée y sont toujours allés de leur couplet, rendant leurs devoirs au soleil. Michel Déon se félicite de trouver à Spetsai un « monde de lumière ». Henry Miller[1] croit voir apparaître dans les feux du jour des « étendues désertes sorties d'un monde d'éternité ». Et Hofmannsthal[2], en bon germanique, idéalise cette lumière où il voit les « noces incessantes de l'esprit et du monde ». Dans ses entretiens avec Alexandre Grandazzi, Jacqueline de Romilly pense que la beauté

1. *Le Colosse de Maroussi,* 1941.
2. *La Grèce pittoresque : monuments, paysages, habitants,* 1923.

de cette langue se retrouve dans « la clarté des paysages grecs ». Les Grecs eux-mêmes, qui pourraient pourtant voir leur pays d'un autre œil, opinent : « Ce pays est aussi dur que le silence, il serre les dents. Il n'y a pas d'eau. Seulement de la lumière », écrit Yannis Ritsos dans *Grécité*. La dévotion à la clarté hellénistique est initiée dans l'*Odyssée* : il coûtera la vie à la totalité de l'équipage d'Ulysse de s'être attaqué aux troupeaux du Soleil. Le mot *hélios* (le soleil) n'a pas changé depuis trente siècles. L'astre brille depuis des milliards d'années et le soleil, « dieu d'En Haut », selon Homère, ne pardonnera pas que les humains « tuent insolemment ses vaches qui faisaient sa joie » (c'est-à-dire, en d'autres termes, abusent avidement des ressources de la Terre, en exploitent les trésors sans considération pour leur rareté).

Ritsos envoie paître tout récalcitrant à la lumière dans une formule que n'aurait pas désavouée Homère : « Si la lumière te gêne, c'est de ta faute. »

La lumière possède une chair, un velouté, une odeur. Lorsqu'il fait chaud, on l'entend bourdonner. Elle tourbillonne dans les arbres et révèle chaque rocher, souligne le relief, allume ses étincelles sur la mer. Il faudrait étudier scientifiquement les phénomènes atmosphériques, hydrographiques et géologiques qui confèrent à la lumière grecque cette immanence, cette douloureuse limpidité. Pourquoi la mer semble-t-elle ici plus qu'ailleurs un rêve d'ombre éclatante ? Pourquoi les îles paraissent-elles naître avec le jour ? Faudrait-il admettre que les hommes, à force d'avoir chanté l'incomparable puissance de la lumière, ont fini par en rehausser l'éclat ? Ou bien s'avouer que les dieux existent vraiment et que tout ce que l'on raconte à leur sujet, de Hésiode à Cavafis, ne sont pas des fables ? Dans l'*Iliade*, les armes sont toujours éclatantes. Sur le bouclier d'Achille, brille « le soleil infatigable ». Les armures reflètent la lumière. Et quand un soldat meurt ou bien reçoit une blessure, « la nuit ténébreuse couvre ses paupières ». Les Grecs ont tiré des enseignements de cette averse lumineuse. À force de vivre dans un rayon d'or, ils ont compris que le séjour terrestre ressemblait à ce court intervalle entre le matin et le soir, où tout se dévoile, et qui s'appelle le jour et dont l'addition constitue une vie.

« Ce qui vit dans cette lumière vit réellement sans espérance, sans nostalgie », dit Hugo von Hofmannsthal dans son petit livre. Explorant les îles, Ulysse part découvrir leur virginité. Il est le premier à les fouiller. Capitaine courageux, il lance un prime regard derrière un voile jamais levé. La lumière révèle ce que l'œil n'a pas encore regardé. Ulysse n'a pas de références pour analyser ce qu'il découvre – un Cyclope, une magicienne qui transforme ses amants en pourceaux, un géant agressif, un monstre rugissant. Tout est neuf sous les photons.

L'envers de la lumière, c'est le brouillard. Il se lève avec soudaineté en ces îles. On croirait un rideau jeté par un dieu. Est-ce cette fugacité de la brume qui a incité Homère à utiliser tant de fois l'image de la nuée jetée par un dieu sur un héros pour le soustraire au combat ? Apollon protège Hector au chant XX de l'*Iliade* en l'enveloppant de brume, « chose aisée pour un dieu » :

Trois fois Achille se précipita, le divin, pieds-rapides,
avec sa lance : trois fois il frappa la brume profonde.

(*Iliade*, XX, 445-446.)

La mer homérique est toujours tempétueuse. Le vent est « la ruine des navires ».

Et comment fuir l'abrupte mort
si brusquement se lève une rafale
de ce Notos, de ce hurlant Zéphyre qui tant de fois
disloquent les bateaux en dépit des dieux protecteurs !

(*Odyssée*, XII, 287-290.)

La colère de la mer ne s'encombre jamais de prémices. La tempête est sans sommation. Tout monstre marin se révèle impulsif. Dans la psyché antique, la tempête exprime la colère d'un dieu outragé. Ulysse se souvient :

Nous avions à peine doublé l'île [Circé], que soudain
je vis des vagues, des vapeurs et perçus des coups sourds.
Des mains de mes gens effrayés les rames s'envolèrent.

(*Odyssée*, XII, 201-203.)

On contemple l'air au balcon d'une île des Cyclades. Il s'éploie dans ses sautes et ses faux calmes, prémices aux convulsions. On observe la folie des rafales distribuant leurs torgnoles sur les eaux. On comprend que la mer, pour les marins d'Ulysse, était la patrie de tous les dangers. La moindre navigation aussi modeste fût-elle entre ces îles si proches était plongeon dans l'inconnu.

Tout appareillage dissimulait la perspective d'un « désastre », comme dit Ulysse, une aventure dans l'incertain, un saut dans le vide. Plein de crainte, on furetait d'île en île. La navigation s'apparentait aux sauts de puce, de refuge en refuge.

L'*Odyssée* est le récit d'un perpétuel naufrage. Combien de fois Ulysse, accroché à un débris, gémira :

Je lâchai pieds et mains et, à grand bruit,
je retombai en plein courant près de mes poutres
et, me hissant dessus, je ramai avec mes deux mains.

(*Odyssée*, XII, 442-444.)

Obsédé par son retour à Ithaque, Ulysse se voit sans cesse jeté à l'eau, poussé vers le mauvais rivage, puis sauvé par les dieux, rétabli par sa propre force, détourné de sa route, ramené à son obsession : rentrer chez lui.

Et Homère l'assène : on ne peut espérer un retour sans *idée fixe*. Seule l'opiniâtreté triomphe des tempêtes. Seule la constance mène au but. Cet enseignement frappe la bannière homérique : la longueur de vue, la fidélité constituent les plus hautes vertus. Elles finissent par remporter le combat contre l'imprévu. Ne pas déroger, seul honneur de la vie.

Les dieux concourront à détourner l'élan initial. Éole déchaînera les vents, les monstres hideux de Charybde et de Scylla dévoreront l'équipage. Non ! la mer n'est pas un lieu amical pour l'homme. Homère l'appelle la mer « vineuse », « stérile », « sans moissons ». Il oppose sa surface inhumaine à la terre où l'on récolte le blé. « Lie-de-vin » : telle est la peau de la mer ! Quand on a vu, sur les étendues de l'Égée, de grandes plaques y réfléchir leur moirage et la teinter de cyanoses, on comprend l'adjectif.

Et se justifie alors l'idée de rester prisonnier d'un pigeonnier de Tinos. Il ne sera pas inutile de humer le fond de l'air pour mieux comprendre Homère.

La mer n'est pas l'amie et la mort dans la mer est le cauchemar de l'homme. L'écume efface tout, dans la bave de l'oubli. Qui se souvient des noyés ? Personne. Qui se souvient du héros retourné au rivage ? L'humanité entière !

Une théorie vient alors à tout marin témoin d'un typhon : et si les monstres odysséens étaient la personnification des tempêtes ? Quand on entend hurler le vent dans les élingues, n'imagine-t-on pas quelque bête réveillée ? Ses mugissements rapetissent l'homme à la valeur d'une puce. L'élément se déchaîne et sa colère prend un visage. Charge au poète de le peindre.

AIMER LES ÎLES

Il y a la lumière, le brouillard et puis viennent les îles.

Chacune est un monde. Elles flottent, glissent, disparaissent, éparses. On dirait des univers. Parfois elles s'émiettent, taches de soleil dispersées par le vent. Quel est leur trait d'union ? La navigation. Le sillage est le fil d'un collier de perles éperdues. Le marin circule entre les débris. D'autres fois, quand l'air est stable, on dirait des bêtes. Ou les hauts sommets d'un massif dont la mer aurait inondé les vallées. À leur surface, peu de forêts. Les Grecs ont livré leurs îles aux chèvres qui, depuis, rasent gratis. Chaque île défend la souveraineté d'un monde, impérial, splendide. Elles cernent un univers en flottaison. Avec ses animaux, ses dieux, ses règles, ses mystères. Certains matins, elles disparaissent dans la brume puis surgissent dans l'air limpide. Elles clignotent. Il suffit d'avoir séjourné quelque temps sur une miette cycladique dans le vent, dans les jeux de lumière, pour souffrir d'isolement. L'île se prend dans sa propre enveloppe. Elle s'instaure en monde. Les voisins deviennent aussi étrangers qu'un

Papou pour un Européen du XIXe siècle. Les îles se découpent dans le lointain, distinctes, inaccessibles, séparées de chenaux dangereux. Chacune recèle son douloureux secret.

L'imagination antique a-t-elle puisé dans cette coexistence de mondes séparés ?

Les îles ne communiquent pas. Voilà l'enseignement homérique : la diversité impose que chacun conserve sa singularité. Maintenez la distance si vous tenez à la survie du divers !

Pour les Achéens, les îles apparaissaient comme des patries farouches et dangereuses, des châteaux de pierre, suspendus entre le ciel et la mer. L'homme se dispose à y surmonter des épreuves. Recevoir un enseignement constituera sa récompense.

Survient un jour l'île aux Cyclopes où des êtres inférieurs vivent en cueillant des fruits, sans cultiver la terre, échappant ainsi à la civilisation.

Jaillissent les îles aux magiciennes dont le seul but est de faire oublier à l'homme ses aspirations.

Apparaît l'île des Lotophages, ce royaume où l'être succombe à la molle jouissance.

Et puis il y a Ithaque. Celle-là n'est pas une île-piège. Car chez-soi est le centre. Ithaque brille, axe du monde d'Ulysse. Ulysse inaugure la dynastie des vrais aventuriers : ils ne redoutent rien parce qu'ils possèdent un port d'attache. Tout royaume vous rend fort. Fol est celui qui le céderait pour un cheval !

La véritable géographie homérique réside dans cette architecture : la patrie, le foyer, le royaume. L'île d'où l'on vient, le palais où l'on règne, l'alcôve où l'on aime, le domaine où l'on bâtit. On ne saurait se montrer fier de son propre reflet si l'on ne peut pas se prétendre de quelque part.

CONSENTIR AU MONDE

La géographie d'Homère dessine le visage de la Terre. Le jour se lève sur des îles de splendeur et de danger. Les formes du vivant explosent en kaléidoscope. La vie produit sans répit. Les vers ne s'épuisent jamais à dresser l'inventaire de cette expulsion. Les bêtes et les plantes sont là, serties dans l'ordre du monde. Lui appartenant comme la gemme au filon. Et chaque pièce de joaillerie vivante s'avance, incarnant le divin par sa seule présence. Leur beauté est leur dogme. On devrait pouvoir se contenter du monde et non pas rêver à des paradis inaccessibles et à des vies éternelles. Sous Homère, les révélations monothéistes n'avaient pas encore inoculé aux hommes l'espérance de fumeuses promesses. Pour l'antique, la tâche s'avérait somptueuse et la victoire immense que de savoir l'union possible entre l'être humain et le monde réel. Pourquoi espérer l'au-delà au lieu d'accomplir passionnément son chemin d'humain dans la panoplie du réel dévoilé par le soleil ?

« Étonne-toi de ce qui existe », disait Clément d'Alexandrie au IIe siècle après J.-C. Homère en païen attentif n'avait pas attendu l'injonction pour saluer le chatoiement immanent.

Il nous offrira avec le passage du bouclier d'Achille la plus belle déclaration d'amour à la réalité. Au XVIIIe chant de l'*Iliade*, Thétis rend visite à Héphaïstos et demande au dieu-forgeron de fabriquer des armes pour son fils, Achille. Le divin artisan s'attelle à confectionner un bouclier. Il le parera de la représentation de toutes les facettes du monde humain.

La littérature descriptive connaît là son expression la plus géniale : un poète précipite le monde tout entier dans un disque de métal qui servira à encaisser les chocs. Sur le bouclier comme dans le monde, tout coexiste. Le chaud et le froid, la vie et la mort, la guerre et la paix, la campagne et la ville. Il convient mêmement de tout accepter et de tout adorer. Toute singularité peut côtoyer son contraire sans s'estomper à condition qu'elle reste elle-même. Ainsi équilibré, le monde se dispose dans un ordre hiérarchique et donné aussi harmonieux que la mécanique des astres :

Puis le Boiteux, l'illustre artisan, fit un lieu de pâture
dans un joli vallon, séjour des brebis éclatantes ;
il y joignit des étables, des parcs, des baraques couvertes.
Et l'illustre Boiteux fit briller une piste de danse,
semblable à celle où jadis, dans Cnossos la ville spacieuse,
Dédale avait œuvré pour Ariane, boucles-splendides.
Là, des garçons, et des filles valant plusieurs bœufs pour leur père,
se tenant l'un l'autre au poignet, se livraient à leurs danses.
Elles portaient de fins tissus, ils portaient des tuniques
gentiment tissées, où doucement luisait l'huile.

Elles portaient des couronnes jolies ; ils portaient des glaives
d'or, qu'ils avaient fixés à d'argentines ceintures.
Ils couraient tantôt d'un pas savant et agile,
facilement, comme lorsqu'un potier, assis, de sa paume,
fait l'essai de son tour ajusté, pour voir comment il tourne –
tantôt couraient en rangs adverses les uns vers les autres.
....
Il plaça le fleuve Océan à la grande puissance
sur la bordure du bouclier, assemblage solide.

(*Iliade*, XVIII, 587-608.)

Ainsi de la géographie d'Homère.

Elle est le chant de la réalité indépassable, elle témoigne de la force du monde, souveraine. Elle est la tendre scène qui porte la ronde de nos vies.

Nous jouissons de la lumière, périssons sur les mers, vivons des fruits de la terre, Homère le sait : nous sommes les disciples du sol. Il ne faut jamais l'oublier. Il faut rendre grâce à la vie de nous projeter dans l'enchantement du réel.

L'illustre forgeron clôt son œuvre par la représentation d'une ronde de jeunes gens. L'acceptation païenne du poème de la vie conduit à la joie simple. Ô dieux des forêts, des mers et des déserts, épargnez-nous les tristes croyances en des spéculations ! Il n'y aura pas de vierges pour nous attendre après la mort !

À quoi bon vivre sur la terre, dans le vent et la lumière, sur cette géographie offerte, si ce n'est pour y danser éperdument, baignés de la lumière d'un monde sans espoir, c'est-à-dire sans promesse.

L'ILIADE

POÈME DU DESTIN

Malgré les prévisions de certains poètes, la guerre de Troie a bien eu lieu.

L'*Iliade* nous cueille au saut du lit, Homère ne s'embarrassant pas d'introduction. Le lecteur est précipité – non des remparts de Troie – mais directement dans la dixième année de la tourmente. Ouvrir Homère, c'est recevoir la gifle des tempêtes et des batailles. On découvre les Grecs en pleine assemblée, tenant conseil sans que nous ne soyons informés des causes de la discorde. Homère, en littérature, est comme un Achéen à la guerre : il taille dans le vif. Le sujet de l'*Iliade*, c'est Achille, sa colère et les catastrophes par elle entraînées.

L'invocation nous l'apprend dès le vers d'ouverture.

Chante, Déesse, l'ire d'Achille Péléiade,
ire funeste, qui fit la douleur de la foule achéenne,
précipita chez Hadès, par milliers, les âmes farouches
des guerriers, et livra leur corps aux chiens en pâture,
aux oiseaux en festin.

(*Iliade*, I, 1-5.)

Pour connaître les causes de la guerre, il faudra attendre quelques chants, ou se reporter ailleurs, explorer d'autres traditions littéraires. Nul doute que les Grecs du VIIIe siècle, lorsqu'ils entendaient l'aède entamer le poème, connaissaient tout des discordes survenues quatre siècles plus tôt entre Troyens et Achéens.

Mais nous, lecteurs, que savons-nous ? Vingt siècles ont passé et le vieil antagonisme entre les hommes de Priam et les sujets d'Agamemnon ne nous est pas familier ! Plus tard, dans le poème, au hasard d'un vers, Achille dira :

Pourquoi faut-il engager une guerre
contre Troie ? Pourquoi conduire une armée sur ces rives,
suivre l'Atride, sinon pour Hélène aux cheveux magnifiques ?

(*Iliade*, IX, 337-339.)

Puis, une fois livrée cette courte explication, il se retire sous sa tente en laissant ses compagnons périr sous les assauts troyens. Et c'est tout ce qu'Homère consent à nous livrer des origines du conflit.

Or, il faut remonter avant l'existence d'Hélène pour comprendre le déclenchement de la guerre. Ce sont les dieux, les responsables. La déesse Thétis, suivant la volonté de Zeus, se marie avec un mortel – Pélée – sur le mont Pélion.

Au mariage s'invite Éris, déesse mauvaise, championne de la discorde. Elle propose au jeune berger Pâris de nommer la plus belle des divinités. Il a le choix entre Athéna, déesse de la victoire, Héra, incarnation de la souveraineté, et Aphrodite, reine de la volupté. Le garçon choisit Aphrodite comme l'aurait fait la majorité des hommes. Il obtient Hélène en récompense de son choix, la plus resplendissante des mortelles, promise à Ménélas, roi de Lacédémone et frère d'Agamemnon. La guerre est déclarée.

Pour le Grec antique, la beauté du corps est ce « sublime don » baudelairien, manifestation de la supériorité, expression de l'intelligence. Mais la beauté peut être fatale et celle d'Hélène, fille de Zeus et de Léda, est empoisonnée. Les Achéens ne peuvent souffrir que la femme d'un de leurs rois soit ravie par un Troyen. Hélène devient l'étincelle de la guerre.

Ces références proviennent de sources grecques et latines postérieures au poème homérique. Jean-Pierre Vernant, mieux que quiconque, les avait étudiées pour nous les faire connaître.

PRÉLUDES ET OUVERTURES

Les premiers chants de l'*Iliade* sont destinés à l'exposition, comme on dit de « l'exposition du motif » dans une sonate. Les nuages s'accumulent sur les plaines humaines. Les Achéens (Homère appelle ainsi les Grecs) sont arrivés sur les rivages troyens, en face de la ville du roi Priam, il y a neuf ans. Les soldats sont épuisés. L'unité achéenne tient par l'autorité d'Agamemnon. Elle s'effrite parce que le désir d'en finir est plus fort que l'ardeur.

Le temps émousse les nerfs des soldats. Agamemnon commet une erreur : il ravit à Achille sa promise, Briséis, jeune captive qui revenait au guerrier comme une part de butin. Que n'a-t-il pas fait là, le vieux chef ! Le blond et bel héros, chef des Myrmidons, Achille aux « pieds-rapides », Achille « cher à Zeus » est le meilleur guerrier. Humilié, il se réfugie sous sa tente pour ruminer sa rancune, il ne participera pas à la charge de ses amis. Ce sera le premier visage de la colère d'Achille : une bouderie pour l'honneur.

Plus tard, il reprendra les armes pour venger Patrocle, son ami tué au combat. Et la colère alors deviendra une furie inextinguible, titanesque. Mais, patience, nous ne sommes pas encore dans la mêlée.

Homère décrit les forces en présence. C'est la longue litanie des peuples en armes formant la coalition achéenne. On découvre une géographie insoupçonnée d'îles et de mers lointaines où règnent princes inconnus et seigneurs oubliés. Qui se souvient des hommes ? Ont-ils seulement existé ? Une énumération étrange se hausse dans le poème.

Les Béotiens se rangeaient sous Pénéléos et Léite,
Prothoénor, Clonios et Arcésilas le Lycide ;
ils habitaient, pour les uns, Hyrie et Aulis la rocheuse,
et Schoinos, Scolos, les coteaux nombreux d'Étéone,
Grée, Thespie, et Mycalesse aux vastes espaces ;
d'autres vivaient à l'entour d'Harma, d'Ilésion et d'Érythres ;
ils occupaient Éléon, Hylè, Pétéon, ou encore
Ocalée, Médéon, citadelle à l'assise solide,
Copes, Eutrésis, Thisbè, reposoir des colombes ;
d'autres tenaient Coronée, Haliarte aux riches herbages,
d'autres vivaient à Platée, ou avaient à Glisas leur demeure ;
ils habitaient Hypothèbes, la citadelle solide,
ou, sanctuaire de Poséidon, les clairières d'Oncheste,
et Arnè la lourde en grappes, Nisa la divine,
et Midée, et Anthédon, limite des terres.

(*Iliade*, II, 494-508.)

La liste pourrait continuer pendant de longues minutes. Pourquoi Homère s'amuse-t-il à ce jeu ? Pour la gloire d'un univers mosaïque. Le Grec antique n'a cure de l'universalité ni de l'unité du monde. Rien de grec ne s'avoue global. Les hommes et les lieux scintillent immensément divers, chatoyants et composés de parties infiniment singulières, distinctes les unes des autres, et heureusement hostiles l'une à l'autre, comme le préconisait Lévi-Strauss, car il convient de se sauvegarder de toute uniformisation.

L'« homme » tel que les Lumières l'ont forgé n'existe pas chez les Grecs homériques. Ici, chacun a un visage, une tenue, une lignée et un roi. Le « catalogue des vaisseaux » trace une réalité fauve, splendide, insaisissable, que seule la description, mais jamais l'analyse ne peut saisir. Ce vitrail n'a pas de sens. Consentons à en nommer les facettes.

LES DIEUX JOUENT AUX DÉS

Hélène a donc été ravie par Pâris, elle est retenue derrière les remparts de Troie. L'affrontement est inéluctable.

Les hommes essaient d'éviter le choc des masses en organisant le duel entre les deux intéressés : l'amant et le mari, Pâris qui a enlevé la belle Hélène et Ménélas, l'époux floué. Mais les dieux sont assis sur l'Olympe. Ils se jouent des hommes comme ils joueraient aux dés. Ils craignent que les peuples évitent le conflit et décident de rallumer la mèche…

Zeus mène des stratégies compliquées. Il doit satisfaire Héra humiliée par Pâris et désireuse de la perte troyenne. Il doit satisfaire Thétis qui l'avait secouru dans les temps immémoriaux et dont le fils Achille, désavoué par Agamemnon, brûle pour la victoire des Troyens. Athéna, elle, soutient les Achéens. Apollon se range du côté troyen.

Bref, Zeus joue aux dominos. Les dieux ont toujours excellé à piloter à nos dépens ce *grand jeu* sur l'échiquier du monde, ce que les Russes du XIXe siècle, pour désigner les manœuvres politico-militaires, appelaient le « tourbillon des ombres ».

Aujourd'hui, les joutes compliquées de Zeus ont leur équivalent au Moyen-Orient où les puissances mondiales placent leurs pions sur un damier comme on planterait des torchères sur le couvercle d'un baril de poudre. Zeus veut la guerre des hommes pour avoir la paix de l'Olympe.

Et Homère use de ces premiers chants pour nous asséner cette vérité qui reviendra dans le poème : il est plus aisé de régner sur des humains si ceux-ci se déchirent. Nos décombres sont le trône des dieux.

Les dieux brisent le pacte des hommes. Zeus envoie un agent de son commando de choc en la personne d'Athéna pour raviver la guerre :

> Pars à l'instant pour le camp troyen et l'armée danaenne
> et contrains les Troyens à tromper les Argiens vaste-gloire
> en brisant les premiers le pacte, en violant leurs promesses.
>
> (*Iliade*, IV, 70-72.)

Et la bataille commence. Les chants suivants sont bruit et fureur. *Sturm und Drang* : tempête et passion, auraient dit les romantiques allemands. Tempête chez les hommes, passion dans l'Olympe. Mais Homère a encore un tableau à peindre : les adieux d'Hector à Andromaque. Le guerrier s'arrache aux bras de sa femme et entend la fameuse question antique : faut-il sacrifier le bonheur d'une vie mesurée sur l'autel de la gloire ?

> Prends pitié maintenant et demeure sur cette muraille,
> ne rends pas ton fils orphelin, ni veuve ta femme.
> Range l'armée devant le figuier, par où notre ville
> offre un passage, par où le rempart est le plus accessible.
>
> (*Iliade*, VI, 431-434.)

Hector n'entendra pas la supplique :

personne n'échappe à son destin, je l'affirme,
une fois né, aucun mortel, ni lâche ni noble

(*Iliade*, VI, 488-489)

et il se précipitera vers l'inéluctable, dans l'éclat de son armure, reflet des gloires à venir.

DU BON CÔTÉ DU MUR

L'heure est à la guerre. Les Achéens construisent un mur défensif. Le poème tisse la dialectique de l'assiégeant et de l'assiégé. Jusqu'alors l'offensive revenait aux Grecs et les Troyens se terraient à l'ombre de leurs remparts. Les uns viennent de la mer, les autres vivent dans l'opulence. Les uns envahissent, les autres se protègent. Message d'Homère pour les temps actuels : la civilisation, c'est quand on a tout à perdre ; la barbarie, c'est quand ils ont tout à gagner. Toujours se souvenir d'Homère à la lecture du journal, le matin.

Le mur s'élève. Tout s'inverse et il n'est pas loin, le moment où les conquérants seront les assiégés. Et le lecteur découvre alors combien les dieux disposent cyniquement de l'avenir des hommes. Zeus lance à Poséidon :

le jour où les Achéens aux longues crinières
partiront sur leurs nefs vers leur douce terre natale,
brise le mur, renverse-le tout entier dans les vagues,
puis recouvre alors de sable l'immense rivage
afin qu'il soit détruit le grand mur de l'armée danaenne.

(*Iliade*, VII, 459-463.)

Ces vers évoquent l'image des temples cyclopéens ensevelis sous des végétations. Je pense à Angkor, ou aux cités incas. Nous sommes loin de la levée de terre achéenne noyée par Poséidon mais il s'agit de la même fatalité : des constructions glorieuses disparaissent, balayées par le vent, recouvertes de ronces ou de sable, c'est-à-dire emportées par le boutoir du temps.

Tout passe, surtout l'homme. Et tout assiégeant peut devenir assiégé. La question de la vie est de savoir de quel côté du mur on se tient !

Les chants se poursuivent. Tantôt l'ascendant revient aux uns, tantôt le sort favorise les autres. Le battant du destin, comme celui d'une horloge, balaie la plaine. Une très fatale oscillation.

Zeus alterne ses choix et accorde ses préférences aux uns et aux autres selon ses humeurs, ses intérêts. Dans le tumulte, au-dessus des vapeurs de sang, une image somptueuse de bivouac vient surplomber le malheur et nous rappeler que la beauté flotte toujours au-dessus de la mort :

Ils s'installèrent, farouches, sur le champ de bataille,
pour y passer la nuit ; des feux brûlaient, innombrables,
comme, au ciel, les étoiles autour de la lune brillante
brillent vers le lointain, quand l'éther est libre des brises.
Voici que resplendissent les cimes, les grands promontoires,
les vallées : dans le ciel s'est brisé l'éther insondable,
les étoiles sont là, le berger se réjouit dans son âme.
Tels, dans l'intervalle des nefs et des ondes du Xanthe,
brillaient les feux qu'embrasaient les Troyens en bas de la ville.

(*Iliade*, VIII, 553-562.)

LE VERBE TRIOMPHERA-T-IL ?

Homère interrompt les combats.

Ulysse, Phénix et Ajax mènent une ambassade auprès d'Achille. Homère va déployer sur sa harpe les nuances de la persuasion. Il s'agit d'exhorter le guerrier outragé à revenir au combat. Son absence est cruelle aux Achéens. Ils subissent des revers. Son retour pourrait inverser le sort.

Ulysse use d'un argument politique et affirme qu'Agamemnon le couvrira de trésors s'il veut bien « fléchir sa colère ». Phénix use de la prière mais Achille ne varie pas : seule la contrition d'Agamemnon pourrait le convaincre. Ajax use de l'argument du soldat : l'armée aime Achille. Cet argument-là touche le guerrier. Il ne reviendra pas pour autant dans le combat mais accepte de ne pas déserter les rivages. Et, mieux ! promet de se battre si les bateaux sont menacés et si Hector s'en approche.

On a parfois pris la fâcherie d'Achille pour l'expression d'un narcissisme pathologique, parce que nous ne concevons pas en nos siècles comptables que la blessure d'honneur puisse s'avérer la plus grave d'entre toutes !

Et la guerre reprend, à grands coups de lances, à larges moulinets. Coulent les larmes, le sang. Les « prunelles » se voilent, les armes « retombent sur les corps » (ce sont les expressions d'Homère pour dire la mort), les soldats tombent. C'est le carnage.

Agamemnon est blessé, Ulysse aussi, Diomède enfin. Les Achéens accusent le coup. Les Troyens s'avancent jusqu'au pied du mur achéen : Sans l'accord des dieux cet ouvrage fut construit (*Iliade*, XII, 8), rappelle Homère. Une fois encore, l'auditeur de l'*Iliade* apprenait ce qu'il en coûtait de ne pas respecter les usages et de dépasser les bornes.

Partout, créneaux et remparts ruisselaient du sang des victimes
que versaient Achéens et Troyens, d'un côté ou de l'autre.
Ils ne pouvaient acculer les Achéens à la fuite.
Ils tenaient bon comme une femme, ouvrière infaillible,
tient la balance en équilibrant le poids et la laine,
et n'obtient, pour nourrir ses enfants, qu'un maigre salaire ;
ainsi, conflits et combats se tendaient dans un juste équilibre,
jusqu'au moment où Zeus offrit à Hector Priamide
une gloire plus grande : il franchit le premier la muraille !

(*Iliade*, XII, 430-438.)

Entendons bien ces vers : les dieux *jonglent* avec nous et, si le sort leur paraît tendancieux, ils pousseront un autre champion. Homère distillera souvent cette idée. Les hommes sont la variable d'ajustement des agissements des dieux. En somme, nous disposons de notre vie, les dieux disposent de nous.

Homère explore toutes les manières de retournement stratégique. Au chant XIV la technique devient croquignolesque. C'est le génie d'Homère : l'imagination ne tarit jamais, même pour décrire une situation maintes fois répétée. Cette fois, il s'agit à nouveau d'une contre-offensive achéenne avec un renversement tactique.

Héra décide d'enjôler Zeus en demandant son aide à Aphrodite. Et voilà les déesses du ciel et de la terre s'échangeant des chiffons et Héra minaudant pour distraire Zeus qui tombe dans le piège : le désir de toi me captive (*Iliade*, XIV, 328). La scène d'amour est humaine, trop humaine, c'est-à-dire ridicule.

Zeus est occupé à lutiner Héra et la déesse envoie Poséidon aider les Achéens à obtenir un court sursis dans l'assaut troyen.

Furieux d'avoir été berné, Zeus mettra bon ordre aux rapports de force en réorchestrant l'enfoncement de leurs lignes. Ces allers-retours des troupes rappellent les absurdes offensives de la Grande Guerre décrites par Jünger, Barbusse ou Genevoix, où les armées consacraient des mois et des milliers d'hommes à la conquête de quelques arpents de boue. La différence ? Les poilus n'étaient pas armés de bronze ni couverts de casques étincelants. Mais il se peut que des dieux néfastes fussent encore à la manœuvre au-dessus des plaines.

C'est alors la culmination de la détresse achéenne. Le mur est prêt à céder. Dans l'*Iliade*, le mur symbolise la protection et la souveraineté en même temps que la limite assignée à la société. Un mur, comme une frontière, est un trésor précieux et le malheur menace quand la brèche est ouverte. Deux mille cinq cents ans après Homère, les promoteurs d'une planète aplatie, sans nations ni frontières, devraient un jour s'asseoir à l'ombre paisible d'un rempart et méditer l'*Iliade*.

Ils s'engouffraient par rangées. Apollon était à leur tête,
tenant l'égide précieuse : il faisait crouler la muraille
facilement, comme au bord de la mer un enfant sur la plage
fait des châteaux de sable par fantaisie enfantine
et soudain par jeu, de la main ou du pied, les renverse.

(*Iliade*, XV, 360-364.)

Le front cède. « Tous à l'assaut des nefs », crie Hector, et les Troyens touchent aux bateaux grecs.

Ainsi donc il a fallu quinze chants pour en arriver là :

Hector saisit la poupe, et, sans desserrer son étreinte,
ne lâcha plus des mains l'étambot, lançant ses consignes :
Portez le feu, puis ensemble faites grandir la bataille !

(*Iliade*, XV, 716-718.)

Achille avait promis d'intervenir lorsque les Troyens atteindraient les bateaux.

C'est chose faite. L'heure est à l'action. Achille aurait pu s'inspirer, deux mille cinq cents ans avant qu'elle ne fût écrite, de la belle injonction de Fernando Pessoa : « Agir, c'est connaître le repos. »

Il aurait épargné ces champs de morts.

N'allons pas trop vite, il ne rejoint pas encore la mêlée. Il accepte, pour l'heure, que Patrocle s'invite dans les rangs des combattants, revêtu de ses propres armes. Une façon pour Achille d'envoyer son hologramme à la guerre.

Je donnai ma parole
qu'en aucun cas je ne renoncerais à mon ire avant l'heure
où le tumulte et la guerre auraient atteint mes navires.
Prends donc mes armes, toi, puis revêts-en tes épaules.

(*Iliade*, XVI, 61-64.)

Est-ce une ironie d'Homère ?

Ou l'occasion, pour lui, de rappeler qu'on n'échappe jamais à l'*hubris*, cette chienne enragée ? Achille tout à l'heure se métamorphosera en monstre de furie, et le voilà qui donne à son ami des conseils de tempérance.

C'est comme si Staline récitait l'Évangile, si Tariq Ramadan donnait des leçons de savoir-vivre ou si le sultan Erdoğan sur la plaine de Troie philosophait avec le roi d'Arabie Saoudite sur les droits de l'homme :

Ne va pas trop te laisser griser de tumulte et de guerre
en massacrant les Troyens, en menant jusqu'à Troie la bataille :
crains que ne fonde sur toi l'un des dieux qui sont et qui furent,
depuis l'Olympe.

(*Iliade*, XVI, 91-94.)

Celui qui sera le pire des monstres invite son ami à la retenue.

Il faudra se souvenir de ces vers quand nous assisterons aux carnages commis par Achille. Patrocle ne l'écoute pas. Et taille dans les rangs troyens des croupières sanglantes. Homère usera d'une expression saisissante pour désigner la rage de Patrocle : « l'égarement de ce fou ». Il tue Pyraichmès, Aréilycos, Pronoos, Thestor, Érylas, Érymas, Amphotère, Épaltès…

Il dépasse les bornes, faute suprême. Comme dans toute histoire homérique, il sera puni par là où il a péché. Toute violence contient en elle sa condamnation. Toute démesure appelle le retour du bâton. Soudain, c'est la punition.

Patrocle est frappé par Apollon et occis par Hector d'un coup de lance au ventre. Alors parut pour ta vie, Patrocle, l'ultime limite (*Iliade*, XVI, 787). « Ultime limite » aurait pu constituer le sous-titre de l'*Iliade*.

Hector instruira le procès de cette âme prise de démence avant même que Patrocle ne rende son dernier soupir :

Misérable ! À quoi t'a servi la vaillance d'Achille,
lui qui t'a fait, à l'instant du départ, ses nombreuses consignes ?

(*Iliade*, XVI, 837-838.)

Nous n'avons pas fini de souper de l'*hubris*. La force aveugle se lève sur le pays. Les hommes passent, les troupes s'affrontent, les héros meurent, la démesure demeure et se transmet d'un serviteur à l'autre. C'est un virus. Une maladie psychiquement contagieuse. Cette fois, c'est Hector à qui l'égarement est inoculé. Dépouillant Patrocle de l'armure d'Achille, il s'en revêt, sans rendre d'égards au cadavre.

Zeus :

Ah ! malheureux ! Tu ne songes guère à la mort, qui est toute
proche de toi. Mais toi, tu revêts les armes divines
du guerrier le meilleur, que tous les autres redoutent.
Tu as tué son compagnon vaillant et aimable,
tu as privé ses épaules, son chef, contre l'ordre des choses,
de ses armes.

(*Iliade*, XVII, 201-206.)

Entendons bien ce mot le plus important du réquisitoire : « contre l'ordre des choses ». Chaque homme met en garde l'autre contre la démesure avant de s'en rendre coupable. L'homme est pathétiquement touchant. Il porte toujours sur les autres la lucidité qu'il ne possède pas à l'égard de lui-même. C'est la formulation mythologique de la phrase profane : « Faites ce que je dis, mais pas ce que je fais ! »

Achille apprend la mort de Patrocle, son ami, son double. Terrassé de chagrin, il se décide, se réconcilie avec Agamemnon. Il ira au combat. Mais il n'a plus d'armes puisque Hector les a pillées et c'est l'occasion pour Homère de composer le superbe interlude de la visite de Thétis à Héphaïstos.

Thétis, la mère d'Achille, va demander au dieu-forgeron de lui fabriquer des armes. (Oh ! qu'elle est touchante, cette maman qui équipe son enfant aux Galeries Lafayette de la mythologie pour qu'il puisse se ruer, tambour battant, vers son destin, c'est-à-dire la mort !)

Achille est donc réconcilié, prêt au combat, affligé par la mort de son ami Patrocle, casqué de neuf par les soins de maman. Tout est en place pour qu'il reprenne le combat, furieux et enragé. C'est le début de la seconde colère d'Achille. L'ultra-violence commence.

Alors, Achille assaillit les Troyens, revêtu de vaillance,
en hurlant, et fit d'Iphition sa première victime.

(*Iliade*, XX, 381-382.)

On connaît le mécanisme de l'*hubris*. Rien ne l'arrêtera plus. Pas de compassion, pas de quartier, pas de distinction. Sans peur et sans pitié, comme on dit à la Légion. Il tue, massacre, achève. Homère verse des centaines de vers au magasin des horreurs. Mais que le lecteur se rassure : il n'est pas le seul à être écœuré.

Les éléments eux-mêmes vont se rebiffer contre la démesure. Et la guerre devient cosmique. Les hommes, les bêtes, les dieux, l'eau, le feu : tout convulse dans la lutte. Les hommes ont réussi à dérégler la machine universelle. La mobilisation totale s'enclenche.

Le fleuve Scamandre se cabre contre la rage achilléenne, il tente d'arrêter la démence, il déborde de son lit, il veut emporter Achille :

> ainsi la vague, à chaque instant, gagnait sur Achille,
> tout rapide qu'il fût : les dieux sont meilleurs que les hommes !
>
> (*Iliade*, XXI, 263-264.)

Achille lutte pour ne pas être noyé.

Et si nous autres, les hommes, nous nous étions comportés à l'égard de la nature comme Achille envers les dieux ? Nous avons dérégulé l'équilibre. Nous avons dépassé les bornes, harassé le monde, fait disparaître les animaux, fondre les glaces, s'acidifier les sols. Et aujourd'hui notre fleuve Scamandre, c'est-à-dire toutes les manifestations du Vivant, sort de son silence pour signaler nos excès.

En termes écologiques, on dit que les signaux d'alerte sont dans le rouge. En termes mythologiques, on dit que les fleuves débordent de dégoût. Nous sommes, comme Achille, poursuivis par les eaux. Nous ne comprenons pas encore qu'il faut ralentir notre course vers ce gouffre que nous continuons sottement à appeler le progrès.

LA CLEF DE VOÛTE

Puis, enfin, c'est le face-à-face. La clef de voûte de l'*Iliade*. Le point vélique des marins. Le duel d'Achille contre Hector.

Ils se poursuivent. Hector fuit, se rappelle la bonne vie d'avant, celle qu'il s'apprête à quitter. Abusé par Athéna, il s'arrête, se retrouve face à Achille. Les deux héros s'invectivent, se battent, Hector est tué, Patrocle vengé.

Et pourtant la colère d'Achille ne retombe pas. L'*hubris*, irrationnelle et circulante, ne tarit pas quand les événements le commanderaient. La rage ne connaît pas la satiété. À présent, Homère donne de la démesure une autre expression.

Il ne s'agit plus de massacrer les soldats avec ivresse, cela c'est le commun. Achille va souiller le corps d'Hector. Il l'attache à sa monture et le traîne dans la poussière. Or, c'est une vilenie suprême pour la tradition antique que de ne pas rendre les honneurs à un cadavre, le pire de tous les « outrages infâmes ».

Cette profanation est décourageante. Nous pensions que la folie retomberait. L'*hubris* ne cessera jamais. Pas de paix pour les guerriers, pas de répit pour la violence, pas de repos pour les dieux. Ils finiront par être outrés. Et Apollon lui-même – bien que martial et farouche – prononcera le réquisitoire contre l'explosion démonique de l'homme :

Dieux ! vous voulez venir en aide au maudit Achille,
qui ne possède ni cœur sensé ni pensée flexible
dans sa poitrine : comme un lion, il n'agit qu'en sauvage –
lion asservi à sa grande force, à son âme farouche,
attaquant les brebis des mortels par désir de ripailles :
ainsi Achille perd la pitié, ignore la honte,
cette honte qui ruine ou favorise les hommes.
On doit perdre sans doute un jour celui que l'on aime,
ou son fils, ou son frère issu d'une mère commune,
mais on s'arrête après les gémissements et les larmes :
endurant est le cœur que les Moires donnèrent à l'homme.

(*Iliade*, XXIV, 39-49.)

C'est l'un des enseignements d'Homère : l'*hubris* plane sur nos têtes, ombre maudite, elle nous entraîne vers la guerre. Rien ne l'entrave. Les hommes se passent le relais et se déchaînent… Et si la guerre dont les foyers naissent partout autour du monde, chaque jour, en Europe hier, dans le Pacifique et au Moyen-Orient aujourd'hui, n'était que l'un des visages de cette même *hubris* toujours recommencée, jamais rassasiée qui parfois prend la forme d'une charge de lansquenets, d'autres fois de soldats soviétiques, de samouraïs du shogun ou de chevaliers de la Table ronde ?

LA PAIX EST UN INTERLUDE

Nous allons bientôt quitter la plaine de Troie... La folie destructrice retombe. L'apocalypse s'apaise. Homère nous convie aux funérailles de Patrocle. Le cadavre d'Hector n'a toujours pas été rendu aux siens. Les jeux funéraires commencent et c'est pour Achille l'occasion de se montrer enfin dans son rôle de roi. Il mène intelligemment les jeux, règle les litiges, prouve son art du pouvoir.

Le démon se fait régalien. C'est là une trace du génie grec de ne jamais trancher en l'homme la frontière du bien et du mal.

Achille aurait pu incarner à jamais l'image du psychopathe. Mais le poète antique ne balafre pas l'homme d'une ligne de partage morale aussi marquée. Cela, c'est la dialectique chrétienne ou, pis ! musulmane : juridique, convenue.

Plus tard, les révélations monothéistes institueront une lecture binaire du monde, injectant les toxines de la morale dans le chatoiement des rapports humains et présidant au malheur de nos sociétés binoculaires où la ligne de crête désespérément étroite sépare le versant lumineux du versant obscur.

Le dernier tableau de l'*Iliade* est d'un classicisme limpide, pourrions-nous dire un peu sottement puisque, le classicisme consiste à s'appuyer sur les canons antiques. C'est une scène d'action où les sentiments atteignent le plus haut degré d'élégance dans une atmosphère de danger. Le vieux roi Priam, père d'Hector, écrasé de chagrin par la mort de son fils et le traitement réservé à sa dépouille, s'aventure chez l'ennemi, à travers les lignes. C'est une expédition suicidaire. Quelle audace ! L'amour du père triomphe de tous les dangers. Certes, Hermès l'aide dans l'entreprise mais l'épisode verse Priam au rang du héros éternel.

Les deux princes ennemis se parlent, se saluent, s'admirent, négocient en sourdine. Homère donne là une définition de la noblesse : la vertu terrasse les pulsions.

Le père vient implorer Achille de lui rendre le corps de son enfant. Il rend ses devoirs au bourreau de son fils ! Il approche de l'assassin « ses mains suppliantes » ! Et Achille cède. Un guerrier dans une époque solaire peut admirer la grandeur humaine de son adversaire. Priam a osé. Achille accepte. Ils conviennent d'une trêve pour procéder aux funérailles d'Hector.

Ainsi les cérémonies pourront-elles s'organiser et l'*Iliade* s'achever. Quant à la bataille, elle reprendra après la trêve et s'achèvera par la destruction de Troie. Mais cela, nous ne l'apprendrons pas dans le texte. Nous en retrouverons l'écho, plus tard, dans l'*Odyssée*, en d'autres lieux, dans d'autres pages.

L'*Iliade* nous a appris une chose. L'homme est une

créature frappée de malédiction. Ce n'est ni l'amour ni la bonté qui mènent le monde mais la colère.

Parfois, elle s'apaise mais gronde toujours, sourde bête, tapie dans les replis de la terre comme une ombre au mufle soufflant qui ne supporte pas de souffrir, mais qui ne connaît pas les raisons de sa blessure.

L'ODYSSÉE

L'ORDRE DES ANCIENS JOURS

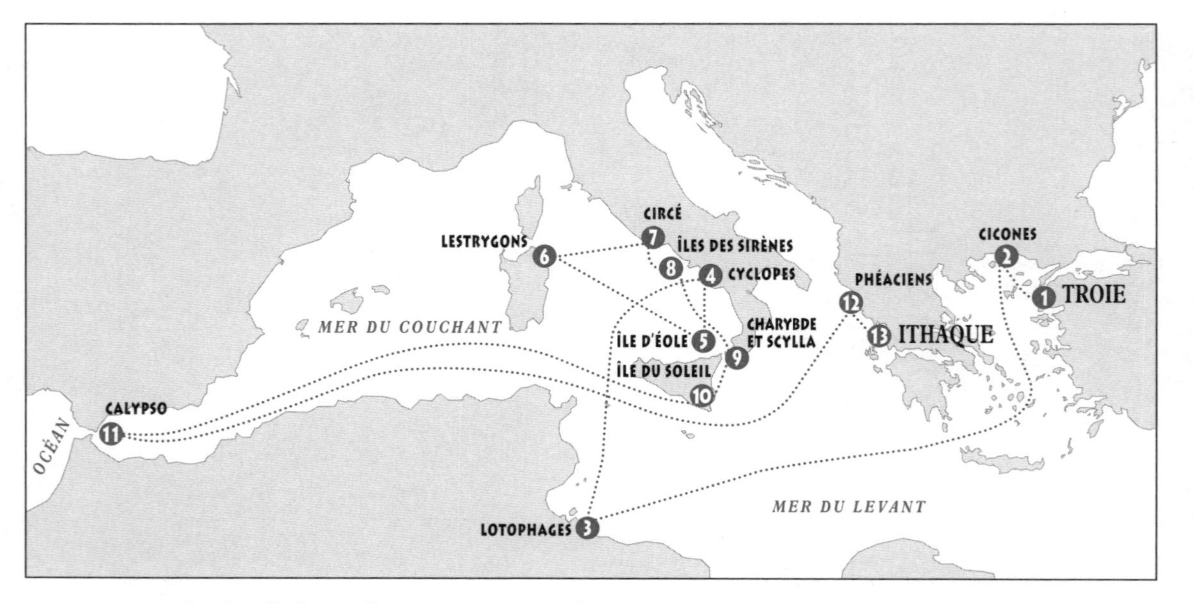

Les périples d'Ulysse d'après Victor Bérard (1864-1931), traducteur de l'*Odyssée* (1924).

LE CHANT DU RETOUR

La construction de l'*Odyssée* n'est ni linéaire ni chronologique. Elle est *moderne,* dirait-on aujourd'hui (*moderne,* mot utilisé pour désigner toute chose immuable).

Le poème raconte trois événements. Le départ de Télémaque à la recherche de son père ; les aventures d'Ulysse revenant à Ithaque après la guerre de Troie ; l'arrivée d'Ulysse en son royaume et son combat pour chasser les usurpateurs, et restaurer l'ordre défait.

C'est donc le chant du retour au pays, de la remise en place du destin. Le cosmos avait été dérangé par les outrances de l'homme à Troie. Il faut instaurer à nouveau l'harmonie. « Ils reviendront, ces dieux que tu pleures toujours ! Le temps va ramener l'ordre des anciens jours », écrit Gérard de Nerval dans *Delfica.* Ô vers à la puissance homérique ! Revenir en sa patrie, ravauder l'équilibre cosmique en rétablissant l'équilibre privé, tel est l'objectif de l'*Odyssée* : en d'autres termes, reciviliser le monde.

L'*Odyssée* est aussi le poème de la rémission écrit huit cents ans avant l'Évangile du pardon. Ulysse a fauté, il paiera pour les hommes qui se sont déchaînés. Le voyage est rachat, dit Homère. Les dieux se mettront sur la route du fautif pour lui imposer leurs épreuves. Mais certains interviendront afin de l'aider à les surmonter. Là se cache l'ambiguïté des dieux antiques : ils sont juge et partie. Ils disposent les embûches et offrent le secours pour en triompher.

L'*Iliade* était le thème musical de la malédiction des hommes. Les chiennes de l'âme étaient lâchées sur le champ de bataille. L'*Odyssée* est le livre d'heures d'un homme qui échappe à la frénésie collective et cherche à renouer avec sa condition de mortel – libre et digne.

Dernier axe de l'*Odyssée* : la constance d'âme. Le principal danger consiste à *oublier* son but, à se déprendre de soi-même, à ne plus poursuivre le sens de sa vie.

Se renier, indignité suprême.

LE CONSEIL DES DIEUX

Le récit des aventures maritimes commence au chant IX, devant l'assemblée des Phéaciens, insulaires pacifiques. Ils ont recueilli Ulysse, échoué sur leur rivage. Plus tard, on assistera à la reconquête du royaume spolié.

Auparavant, s'architecture la longue introduction où alternent les conversations des dieux statuant sur le sort des hommes et les aventures de Télémaque.

Quelle construction étrange ! Que de *flash-backs*, dirait-on, si l'on usait de langues barbares. Que d'inversions et de récits dans le récit ! Ulysse commence l'évocation de ses péripéties après avoir entendu un aède parler de lui pendant le banquet phéacien. Jusqu'alors il se tenait incognito. Mais, soudain, l'aède donne vie à l'homme, l'extrait de l'anonymat. Le verbe se fait chair. Et Homère nous confirme – avant même qu'elle n'existât – que la *littérature* donne corps à la vie.

Le poème s'ouvre alors sur une image.

Calypso, déesse somptueuse, retient Ulysse alors que les autres guerriers sont rentrés de la plaine de Troie. Ulysse réussira-t-il à rentrer ? Les dieux –

Poséidon à part – s'accordent pour que le héros soit délivré. Poséidon ne pardonne pas à Ulysse d'avoir mutilé le Cyclope, son fils. Mais Zeus croit savoir que « Poséidon finira par s'apaiser ».

Le thème philosophique de ce chant s'entrecroise dans la trame des vers : une part de liberté restera toujours à l'homme. Il peut se racheter, même après s'être commis. Les dieux ne sont pas contre les hommes, du moins, pas toujours. Et l'homme conserve une latitude dans le destin que les immortels tracent pour lui.

Avec l'autorisation de Zeus Athéna vole à Ithaque pour trouver Télémaque et lui annoncer que son père demeure en vie. La déesse enjoint le jeune héritier de partir à la recherche du père. Il faut d'abord calmer les prétendants qui se disputent le trône. Il faut gagner du temps, puis embarquer, c'est-à-dire, pour un Grec, *agir*. L'homme est une navette, libre de se mouvoir dans la haute lisse d'un destin tissé… Comme le navigateur qui décide de son cap, mais dans les limites de la mer profonde et bleue.

Télémaque appareille. Il part chercher le père. Les prétendants s'opposent à son départ. Ils multiplieront les vilenies au long du récit. Ils usurpent la place du roi, ils convoitent la reine, ils s'en prennent au fils. Par prétendants, il faut entendre courtisans.

Ce sont ces tartuffes, marquis poudrés et brigueurs de cour dont l'Histoire connaîtra tant d'avatars. Ils se presseront toujours au seuil du pouvoir de la même manière qu'ils grouillaient aux pieds de Pénélope, vulgaires, insolents. Ils rampaient au pied du trône d'Ithaque. Leurs réincarnations se disputent aujourd'hui les mânes des républiques.

Antinoos, leader des fourbes, s'illustrera dans la médiocrité d'âme en lançant cette phrase à Télémaque :

> Nous consumerons tes richesses et ton avoir
> tant qu'elle n'abandonnera pas la conduite
> que les dieux lui ont inspirée.
>
> (*Odyssée*, II, 123-125.)

On a retenu de Pénélope la ruse de la tapisserie. Homère signale d'autres de ses vertus. L'intelligence d'une femme et sa solidité d'âme peuvent tenir à distance les chacals. L'*Odyssée* est le poème de l'intelligence. Qui triomphera ? Ulysse et Pénélope aidés par Athéna : trois génies de l'esprit ! Ainsi se dessine la trilogie victorieuse de l'Antiquité : la ruse, la constance et la souveraineté.

Télémaque cingle vers son père pendant que le père aspire au retour. Les dieux assistent à ce ravaudage du rideau déchiré. La tapisserie de Pénélope constitue le symbole de la trame en voie de renouement.

Pour Ulysse et Télémaque, il s'agit de rabouter le fil de l'ordre filial et seigneurial.

Ils se retrouveront à la fin du voyage. Dans ce monde, le désordre n'a jamais rien construit de valable. Et il faut vraiment être un philosophe schumpetérien moderne, campé dans son confort, pour croire que la destruction puisse avoir valeur créatrice et pour appeler de ses vœux pareilles explosions ! Du chaos, rien ne peut naître.

Larguons les amarres avec Télémaque ! Longtemps, on restera sur le pont des bateaux, dans la gifle des embruns, sur la mer vineuse (*Odyssée*, I, 184). Triste est le fils qui part chercher son père. Lequel se cherche lui-même. L'*Odyssée*, requiem des hommes perdus. À Pylos, Télémaque rencontre Nestor, ancien combattant de Troie qui lui fait le récit des combats de la ville.

Là-bas sont morts les meilleurs d'entre nous.

(*Odyssée*, III, 108.)

Quand nous eûmes pillé la citadelle de Priam,
Zeus, hélas ! réserva aux Grecs un funeste retour,
parce qu'ils n'écoutaient ni la raison ni la justice ;
c'est ainsi que beaucoup d'entre eux eurent un triste sort
par le courroux funeste de l'Enfant Tout-Puissant.

(*Odyssée*, III, 130-135.)

Ainsi donc, lui-même, le vieux Nestor avoue que la démesure a rompu l'équilibre et que les hommes paient leur tapage. Mais au moins tous sont-ils rentrés. Tous ? Sauf Ulysse.

Télémaque rôde. Sa quête fantomatique est l'appel éperdu d'un enfant qui doit trouver son père pour devenir un homme. Athéna lui a dit au chant précédent :

fais armer le plus beau de vos bateaux à vingt rameurs,
va t'informer de ce père, toujours absent.

(*Odyssée*, I, 280-281.)

Tu le sais, il ne s'agit plus
de te montrer enfant : l'âge en est désormais passé.

(*Odyssée*, I, 296-297.)

On pourrait opposer à l'Œdipe de Freud le Télémaque d'Homère et inventer un nouveau syndrome appuyé sur les retrouvailles au lieu de la rupture. Télémaque ne veut pas tuer le père, ni convoiter la mère. Il lutte pour retrouver son géniteur, le réinstaller sur le trône, réunir ses parents. L'Œdipe freudien, lui, doit profaner ses origines pour affirmer son individualité. Puis-je avouer que je trouve plus princière la figure télémaquienne ? En quoi ne correspondrait-elle pas à nos structures psychiques enfouies ?

Télémaque parvient en Laconie et rencontre Ménélas et Hélène, par celui-ci reconquise. Nous sommes encore dans le monde de la guerre, l'*Odyssée* n'a point commencé tout à fait. Ménélas raconte au fils d'Ulysse les exploits de son père, le cheval de Troie, la mort d'Agamemnon, piégé par Égisthe. Ulysse est déjà un héros connu. Il alimente les récits, mais il faut parvenir au chant suivant, le cinquième, pour le rencontrer enfin en chair et en os. Ulysse tarde ! Ulysse se fait attendre. Ulysse s'avance dans le poème « comme s'en vont les écrevisses » d'Apollinaire, « à reculons, à reculons ».

PRENDRE LA MER, PRENDRE LA MAIN

Les dieux se retrouvent à nouveau assemblés et Hermès se voit dépêché chez Calypso pour enjoindre la déesse de libérer Ulysse. Humiliée, Calypso obéit à Zeus. Tout juste gémit-elle sur le sort contrarié des grandes amoureuses :

Vous êtes sans pitié, dieux plus jaloux que les mortels
qui détestez voir une déesse avec un homme
ouvertement, quand elle l'a pris pour époux !

(*Odyssée*, V, 118-120.)

Ulysse est libre. Débarrassé de la pire menace possible dans la vie d'un homme après l'oubli de son identité : l'oubli de son dessein.

Pour l'heure, il pleure le pays perdu.

Toute la douceur de la vie s'écoulait
avec ses larmes. (*Odyssée*, V, 152-153.)

Fondement de la pensée grecque en général et de l'enseignement homérique en particulier : tous les malheurs de l'homme viennent de n'être pas à sa place et tout le sens de la vie consiste à rétablir dans son cadre ce qui en a été exilé.

Se rouler dans la volupté avec « une merveilleuse nymphe » ne vaut rien si l'on a été chassé du berceau.

On se souvient de Karen Blixen dans *La Ferme africaine*, écrivant « j'étais là où je me devais d'être ». « À la verticale de soi », ajouterait la championne d'escalade Stéphanie Bodet.

Pour un Grec, la bonne vie se joue dans la patrie de sa présence. L'*Odyssée* est le poème du retour à soi, en soi et chez soi.

Pourquoi les dieux ont-ils accepté de libérer Ulysse au risque de déchaîner la foudre de Poséidon ? Parce que Ulysse apparaît comme le plus intelligent, le plus rusé et le plus généreux des hommes. Parce que les prétendants le pillent et que les dieux se trouvent lassés du chaos. Les ravages de Troie appartiennent à l'Histoire. À présent, tout l'Olympe aspire à la paix. Il y a eu trop de folie, de fièvre.

Ulysse part, et nous assistons au premier naufrage d'une série de catastrophes. L'*Odyssée* est le pire manuel de navigation jamais publié dans l'histoire de l'humanité.

Ulysse échoue chez les Phéaciens, peuple de passeurs, se chargeant d'assurer le trait d'union entre hommes et dieux : des hommes navettes ! les bateaux-mouches de l'au-delà, la laideur en moins. Ils vivent dans la félicité, flottent dans l'entre-deux. Athéna se tient aux commandes pour tirer d'affaire Ulysse naufragé. La déesse aux yeux de chouette trame la rencontre burlesque avec Nausicaa, fille du roi phéacien Alcinoos. Ulysse se cache dans les buissons, à moitié nu ; il effarouche les suivantes de Nausicaa qui s'égaillent comme les oies blanches d'un couvent catholique. Mais il séduit Nausicaa parce qu'il lui déroule un beau discours. Les paroles séduisent, rappelle Homère. Les hommes disgracieux le savent, Gainsbourg avait lu Homère ! De même qu'un discours pouvait renverser le combat à Troie, de même le discours sauve Ulysse naufragé.

Ulysse est conduit au palais du roi qui lui promet son aide. On lui affrétera un bateau et on l'aidera au retour. Alcinoos fait préparer à la fois un navire et un festin pour son hôte sans savoir qui il est. Ainsi accueillait-on les réfugiés de la Méditerranée dans le monde antique. Dans les temps homériques, l'étranger était singulier et fort rare.

Le troubadour du banquet chante la querelle d'Achille et d'Ulysse. Tiens ? La querelle d'Achille et d'Ulysse ? Cet épisode n'est pas présent dans l'*Iliade* mais constitue un passage crucial de l'*Odyssée* car Ulysse – écoutant l'aède – s'aperçoit qu'il est entré dans l'Histoire. La mémoire lui concède sa part d'éternité. Ulysse avait manqué de perdre tout ressort chez Calypso ! Ici, il possède la certitude d'être devenu quelque chose après avoir failli ne plus être quelqu'un.

Le ménestrel raconte alors l'épisode du cheval de Troie. Ulysse, initiateur de cette ruse de guerre (point mentionnée dans l'*Iliade*), ne peut retenir ses larmes, trahissant son identité. Si cet homme pleure en entendant ce récit, c'est qu'il en est le protagoniste ! Dis-moi quand tu sanglotes, je te dirai qui tu es... Homère livre une clef bouleversante : notre identité se tiendrait dans nos larmes. Nous sommes les enfants de nos chagrins. Nous avons découvert

Ulysse en larmes chez Calypso. Nous découvrons Ulysse en larmes quand il s'affirme à lui-même, nous le retrouverons pleurant dans le giron de Pénélope. Cela renifle diablement dans l'*Odyssée* !

Homère signale que la vie ne se résume pas à une collection de jouissances mais impose une lutte dont nous allons à présent énumérer les épisodes.

Tout se conquiert, rien n'est acquis à l'homme, rien ne saurait *universellement* lui *revenir*. Démasqué, Ulysse se dévoile au roi des Phéaciens :

> Je suis Ulysse, fils de Laërte, dont les ruses
> sont fameuses partout, et dont la gloire touche au ciel.
> J'habite dans la claire Ithaque.
>
> (*Odyssée*, IX, 19-21.)

Notre héros a décliné son nom, son père, sa patrie.

Une manière antique de s'identifier : qui l'on est, d'où l'on vient, où l'on va.

L'identité ici ramassée cimente la trilogie de l'origine, de la généalogie et de la gloire (les ruses « fameuses partout »). Le temps, l'espace et l'action s'articulent.

À la demande du roi phéacien, Ulysse commence le récit de son odyssée de Troie jusqu'à l'antre de Calypso. Homère, à ce moment de l'*Odyssée*, invente la littérature, art de raconter quelque chose déjà advenu et qui survivra dans les mémoires.

Le récit commence, il durera jusqu'au chant XIII. La lanterne magique va projeter ces scènes où l'imagination le dispute à l'enseignement.

Ulysse s'en revient de la guerre. C'est le début du récit :

Loin de Troie, le vent m'entraîna chez les Cicones ;
je pillai Ismaros et massacrai ses défenseurs.

(*Odyssée*, IX, 39-40.)

Le vent, ce hasard des marins, emporte chez un peuple inconnu le héros d'Ithaque. Ulysse ne s'est pas débarrassé de ses réflexes martiaux. L'énergie destructrice de Troie l'anime encore. Il pille et massacre selon ses propres termes. L'*hubris* n'est-elle pas tarie ? Cela viendra, car l'*Odyssée* couve en elle la magie de la métamorphose.

Ulysse échoue sur l'île des Lotophages, première incursion dans le monde irréel, étape initiatique dans la cartographie de l'imaginaire dont nous ne nous extrairons plus avant le retour à Ithaque. Ulysse se glisse dans un interstice du merveilleux, comme le vaisseau de *Star Trek* dans un feuilletage spatio-temporel.

Les Lotophages offrent aux membres d'équipage une plante, le loto, « doux comme le miel ». Les marins sont conquis. Ce délice masque un poison car il vide l'homme de toute énergie, anesthésie la volonté, détruit la conscience. Il accoutume l'homme à flotter dans une semi-présence, agréable, stérile. Revient la mise en garde obsédante : ne pas succomber à l'oubli. Certains lettrés ont voulu deviner à quelle plante le loto faisait référence. Ces savants se trompaient de recherches car le loto métaphorise les occasions de nous détourner de l'essentiel. Après tout, les heures que nous passons, hypnotisés par les écrans digitaux, oublieux de nos promesses, dispendieux de notre temps, distraits de nos pensées, indifférents à notre corps qui s'épaissit devant le clavier, ressemblent aux heures hagardes des marins d'Ulysse sur l'île empoisonnée. Les tentacules de la société digitale s'immiscent en nous. Ils nous arrachent à l'épaisseur de la vie vécue. Bill Gates et Zuckerberg sont les nouveaux dealers de loto.

Chez les Cicones, les marins ont péché par démesure. Chez les Lotophages, ils risquent de se dissoudre dans la jouissance stérile :

Mes gens, ayant goûté à ce fruit doux comme le miel,
ne voulaient plus rentrer nous informer,
mais ne rêvaient que de rester parmi ce peuple
et, gorgés de lotus, ils en oubliaient le retour...

(*Odyssée*, IX, 94-97.)

À Troie, l'*hubris*. Ici, l'oubli. Entre les deux, le défi d'être un homme c'est-à-dire de *s'empêcher*, comme l'exprimait Camus, pour mieux se retrouver. Ce sera le chemin d'Ulysse.

La navigation reprend jusqu'à l'île des Cyclopes. Les Cyclopes appartiennent à une race d'êtres monstrueux, « des géants sans justice ». Ils ne font pas partie des « mangeurs de pain », c'est-à-dire qu'ils ne cultivent pas la terre. Ils n'ont qu'à se baisser pour ramasser les fruits d'un royaume de cocagne :

tout pousse sans labour et sans semailles dans leur terre.

(*Odyssée*, IX, 109.)

C'est la règle dans la Grèce homérique : quand on aborde une île, on s'empresse de chercher les traces d'agriculture. Elle signale la présence de la civilisation, sépare les hommes et les barbares. Au temps d'Homère, l'agriculture de la révolution néolithique était encore une invention récente âgée seulement de quelques millénaires… Hésiode révèle dans *Les Travaux et les Jours* que « les dieux ont caché la nourriture aux hommes ». Charge à l'homme paysan de *révéler* ce qui a été dissimulé. Heidegger comparera le poète au cultivateur, tous deux appelés à *produire* ce qui flotte dans l'informe en attente d'une épiphanie.

Un Cyclope commence par dévorer les marins d'Ulysse comme des zakouskis sur une table russe. Puis il emprisonne l'équipage dans une grotte : les petits-fours attendront…

Ulysse le berne en lui révélant que son nom est « Personne » puis il enivre son geôlier de vin, lui crève son œil unique et s'échappe de la grotte en dissimulant son équipage – ruse de Sioux – sous les béliers du Cyclope. Quand le monstre appelle ses pairs à la rescousse, il crie que le coupable est *personne*. La ruse est géniale et Homère invente là le premier jeu de mots de l'Histoire. Ulysse marque un point sur le Christ, lequel déployait toutes les vertus, sauf celles de l'humour. Ulysse sauve le reste de ses compagnons, reprend la mer mais commet une faute. Il ne peut s'empêcher de railler sa victime aveugle :

Cyclope, si jamais quelque mortel
t'interroge sur ton affreuse cécité,
dis-lui que tu la dois à Ulysse, Fléau des villes,
fils de Laërte et noble citoyen d'Ithaque.

(*Odyssée*, IX, 502-505.)

Ici, c'est la vanité que dénonce Homère. Elle est certes un moindre mal que l'*hubris*, mais elle appartient au dérèglement de l'ordre des choses.

Par fanfaronnade Ulysse a péché et déclenché la colère de Poséidon, père du Cyclope. Désormais, le marin sera poursuivi par la fureur du dieu. Une longue suite de catastrophes (un chemin de croix, dira-t-on quelques siècles plus tard) va désormais paver le destin d'Ulysse. L'*Odyssée* devient code moral. Mais l'homme peut toujours se racheter de ses forfaits par l'exercice de sa vertu et, mieux, de son intelligence.

Dès lors, nous progressons de tragédies en désastres. Poséidon multiplie les chausse-trappes. D'abord, c'est l'Éolie. Le dieu Éole offre à Ulysse un cadeau : une outre en cuir qu'il recommande de ne pas ouvrir, ce que les hommes d'équipage s'empressent de faire sitôt Ulysse endormi. Les vents captifs s'échappent et une tempête démonte la mer. L'homme, incorrigible animal, ne peut se retenir de franchir les parapets que les dieux lui imposent.

DES BATEAUX IVRES

Se succèdent une halte chez les géants Lestrygons qui massacrent quelques membres d'équipage et la fuite chez Circé la magicienne. Circé est une amante étrange, une femme fatale. Elle transforme ses amants en bêtes ; les compagnons d'Ulysse se retrouveront pourceaux. Chez Circé, les dieux soumettent les hommes à une menace pire encore que l'oubli : celle de perdre leur identité physique. Ulysse en réchappera grâce à l'antidote d'Hermès, un philtre lui permettant de « rester lui-même ». Les dieux sont toujours là, prêts à seconder le « héros endurant ». Ils lui offrent l'antidote aux périls mêmes qu'ils lui font éprouver.

Ulysse prend l'ascendant sur Circé, fait rendre forme humaine à ses marins, mais passe un an avec la magicienne parce que, tout de même, ce serait grand gâchis de croiser au large d'une île où bronze Greta Garbo.

Quand ses compagnons le convainquent de reprendre le voyage, Ulysse se voit confier par Circé que des épreuves l'attendent. Il faudra d'abord visiter les morts de l'Hadès, première descente d'Ulysse aux Enfers. La plongée au royaume des ombres est terrifiante. Elle commence par la rencontre avec sa défunte mère qu'il tente d'embrasser en vain. Les morts sont impalpables et les bras se resserrent sur le vide, « les morts, les pauvres morts ont de grandes douleurs », pleurait Baudelaire : ils ne peuvent recevoir notre consolation.

Un autre spectre s'avance devant Ulysse. C'est le devin Tirésias qui prophétise les embûches : après le retour à Ithaque, Ulysse devra poursuivre le voyage, repartir à nouveau, descendre encore aux Enfers et accomplir un dernier sacrifice à Poséidon pour achever totalement de couturer le rideau du destin.

Dans ces vers se confirme la dimension sacrée de l'*Odyssée*. Ulysse expie-t-il sa faute ? Endosse-t-il le forfait de tous ses compagnons ? Porte-t-il le poids des péchés humains comme un stoïcien crucifié, influencé par la pensée grecque, se persuadera de le faire quelques siècles après Homère ?

Puis défilent les ombres, anciennes : princesses, Titans, guerriers défunts. Voilà Agamemnon ! Et Achille, qui lui fait cet aveu terrible : lui, le splendide guerrier, aurait préféré une vie douce plutôt que la gloire *post mortem*.

Beaucoup d'entre nous doivent démêler cette antienne chaque matin devant la glace : quel est le sens de notre vie ? Acquérir un renom ou jouir de la douceur ? Passer à la postérité ou passer du bon temps ? Être un anonyme heureux ou un Achille aux Enfers ?

Mais nous ne sommes pas là pour ces questions ! Nous sommes dans les Enfers, dans « l'ombre de la salle »… Les vapeurs sont méphitiques, les apparitions inquiétantes. C'est l'effroi, et Ulysse retourne à bord de sa nef, revient chez Circé. Laquelle donne ses nouveaux conseils avant l'embarquement. Attention aux Sirènes ! Gare aux écueils de Charybde et Scylla ! Toujours la même rengaine : ne vous perdez pas, ne vous diffractez pas, ne vous oubliez pas ! Les îles sont éparses, seule la réunion garantit un salut.

D'abord, les Sirènes. Elles ambitionnent d'arracher l'homme à ses convictions, à sa destination, à sa *ligne de vie*.

Leur monstruosité ne réside pas dans leur violence. Pis ! elles tiennent *tous* les hommes à l'œil, connaissent la biographie de chacun. Elles rôdent, incarnation, avant la lettre, de Big Brother. Elles nous épient, préfiguration de ce cauchemar dans lequel nous barbotons avec un plaisir consenti : le big data de nos vies, contenu dans nos appareils numériques et archivé dans le *cloud* planétaire.

Nous savons tout ce qui advient sur la terre féconde…

(*Odyssée*, XII, 191)

murmurent les Sirènes. Homère nourrissait la prescience de ce qui adviendrait au XXIe siècle : le contrôle intégral grâce aux offices des GAFA. Dans l'*Odyssée*, les Sirènes sont des oiseaux et non pas ces créatures aquatiques qu'une tradition erronée a popularisées. Du ciel, les Sirènes attaquent. Du ciel, les satellites nous surveillent. La transparence est un poison.

Ulysse résiste à l'ensorcellement en se faisant attacher au mât du bateau. Puis les monstres de Charybde, gouffre béant, et de Scylla, rocher monstrueux, ponctionnent six marins. Homère a inventé des représentations terrifiantes de la tempête : comme tout Grec, il savait la mer lieu du danger absolu. Quiconque a éprouvé l'imminence de la dislocation d'un bateau par soixante-treize nœuds de vent ne trouvera rien d'étonnant qu'un poète donne à la furie des mers les traits d'une hydre. On voit bien un marin, retour d'une navigation par force 10, écoutant le récit de Charybde et de Scylla marmonner par-devers lui : « J'ai connu pire. »

Dans le dernier épisode raconté à la cour des Phéaciens, Homère saisit l'ultime occasion de décrire l'incapacité des hommes à se comporter avec mesure.

L'équipage prend pied sur l'île du Soleil, sommet de la géographie sacrée, territoire du tout-puissant Hélios. Symboliquement, nous pourrions y déceler la métaphore de notre Terre, régie par le Soleil, fécondée de photons. On ne doit pas toucher aux richesses de l'astre, a prévenu Circé. Ulysse a transmis la recommandation à ses marins. Serait-ce la manière antique de signifier que l'homme ne doit pas arraisonner les trésors de la Terre, piller ses ressources, la mettre en demeure de livrer ses bienfaits ?

Malgré les recommandations, les hommes d'équipage transgressent l'ordre et sacrifient les troupeaux du Soleil pour se taper un gueuleton. Quelle fatigue, ces humains ! Une fois encore, ils ne sont pas tenables. Tirésias avait pourtant dit à Ulysse qu'il y avait un moyen d'échapper à Hélios :

Si tu n'y touches pas et ne penses qu'à ton retour.

(*Odyssée*, XI, 110.)

Toujours le même impératif, obsession hellène : ne pas dévier, bien se conduire, tenir le cap. De l'épisode du sac d'Éole à celui des vaches du Soleil, c'est au moment où Ulysse s'endort que ses hommes contrecarrent ses plans et se comportent imbécilement. Le sommeil symbolise l'oubli.

« Soyez attentifs », disent les melkites grecs pendant le saint office.

Tenons nos âmes en haleine, préconisait Montaigne.

Maintenons-nous aux aguets, conseillait Marc Aurèle.

Ces recommandations clamées au long des siècles reflètent l'idée d'Homère.

Alors, Hélios punit les hommes d'équipage en les précipitant dans une tempête.

C'est le désastre final dont seul Ulysse réchappe. Dix jours plus tard, il arrive chez Calypso. On le retrouve au début de l'*Odyssée* et l'on reprend le fil du récit au premier chant. La boucle est bouclée, le retour à Ithaque peut commencer.

Que retient-on de ces premiers chants de l'*Odyssée* ?

La vie nous impose des devoirs.

Il importe d'abord de ne pas transgresser la mesure du monde.

S'il faut réparer un forfait commis, il ne faut pas dévier de sa course ni renier les objectifs fixés.

Enfin, ne jamais oublier l'individu que l'on est, ni l'endroit d'où l'on vient, ni l'endroit où l'on va.

Pour Ulysse, la tension sera simple : rentrer en sa patrie, en chasser les usurpateurs. Il triomphera de ne jamais s'en laisser distraire.

Entre un guerrier trop orgueilleux, un pourceau d'amour, un mangeur de lotus hébété ou un mort flottant dans les Enfers, un point commun : tous dérogent à l'une des règles antiques, ils dévient de leur axe.

À partir du chant XIII, la reconquête d'Ithaque constitue la deuxième partie de l'*Odyssée*.

Les Phéaciens, fidèles à leur vocation d'ambassadeurs entre les royaumes divins et le séjour des hommes, reconduisent Ulysse sur le rivage d'Ithaque. Ils lui avaient promis d'organiser sa logistique du retour. Ils le déposent sur la côte, endormi.

Poséidon assouvit sa vengeance promise non pas s'en prenant à Ulysse – bourreau de son fils –, mais en pétrifiant le bateau des passeurs phéaciens en rocher. C'est une image frappante, wagnérienne ! Imaginez le vaisseau du châtiment, comme un monument pétré, rivé à la surface de la mer.

Dans l'actuelle Ithaque, en pleine mer Ionienne, un îlot minuscule verrouille le pertuis de communication avec la baie naturelle. L'esprit a du mal à n'y point discerner le vaisseau de l'*Odyssée*. Ce bateau-pierre est le rocher que Poséidon roule sur la galerie de passage entre le monde des hommes et les arrière-plans magiques. Cette fois, la dalle est cimentée, Ulysse ira certes revoir les morts, une fois encore, après la reconquête de son royaume, mais il ne connaîtra plus ces circulations dans les parages de monstres et d'ensorceleuses. Adieu, magie ! Le basculement dans les temps de la raison est venu. Bienvenue à toi, Ulysse, dans le monde que tu regrettais !

Pour l'heure, il se réveille sur le rivage, la conscience embrumée. À nouveau le frappe la malédiction grecque de ne pas savoir où l'on se trouve ni ce que l'on cherche. Notre héros ne reconnaît pas son île, car la fille de Zeus l'avait enveloppé d'un brouillard pour qu'il demeurât invisible (*Odyssée*, XIII, 189-191).

Commence la partie réservée au retour du héros. La reconquête de la douceur par la violence, la restauration de l'ordre, l'éradication des envahisseurs.

Le retour d'Ulysse sonnera alors comme un adieu au grand récit d'aventure.

Hélas ! en quelle terre encore ai-je échoué ?

(*Odyssée*, XIII, 200)

se plaint Ulysse. Rien de ce qui est rendu à l'homme ne lui sera octroyé facilement. Homère insiste encore : tout se conquiert âprement dans la vie. À la sueur de notre front, diront d'autres Écritures. « Rien n'est jamais acquis à l'homme, ni sa force, ni sa faiblesse, ni son cœur », renchérira Aragon. Pour l'heure, Athéna prépare à son favori un retour de haute lutte.

La déesse apparaît à Ulysse sous les atours d'un pâtre, puis d'une femme splendide, et elle lui révèle Ithaque en dissipant la brume. Elle a ourdi un plan. Elle assistera Ulysse dans la reconquête du palais :

je serai là
quand nous travaillerons, et je crois que beaucoup
souilleront le sol infini de sang et de cervelle !

(*Odyssée*, XIII, 393-396.)

Ulysse is back, et cela va saigner. Mais l'opération va se dérouler dans la discrétion. Pas question de revenir en fanfare comme le fit Agamemnon qui trouva la mort en paiement de son ostentation. Ulysse sera le vengeur masqué plutôt que le triomphateur arrogant. N'oublions pas les ravages de l'*hubris* dans les destins privés et la vertu publique.

Le plan d'Athéna ressemble à une opération commando. S'avancer en clandestin, reconnaître les lieux, identifier les fourbes, préparer le terrain, frapper. « *Fix, find, and finish* », comme disent aujourd'hui les spécialistes de la contre-insurrection. Et, pour l'entreprise de reconnaissance du terrain, Athéna grime Ulysse en mendiant pour que tu sois hideux à tous les prétendants (*Odyssée*, XIII, 402).

Début des opérations : Ulysse se rend chez son ancien porcher, le fidèle Eumée, qui garde ses troupeaux et a conservé intacte son affection pour Ulysse. Il ne reconnaît pas son maître mais l'accueille dignement, comme un homme se doit de recevoir son semblable. Eumée n'a pas trahi, n'a pas oublié son maître. Pourquoi Homère l'affuble-t-il de l'épithète *divin* ? Parce qu'il a été un fidèle, se conduit droitement avec son semblable. C'est le premier humain rencontré par Ulysse, et cette présence pure, immédiate, inaugure les retrouvailles de notre héros avec le monde des hommes. Pour le poète antique, ce qui est présent, dans la lumière réelle, ce qui se dévoile dans sa vérité, c'est le *divin*.

Ulysse va séjourner dans une pauvre cabane. La bataille pour « le retour du roi » commence ici, au plus bas. De la cabane des cochons jusqu'au palais, la route sera sanglante. L'*Odyssée* est la fable de la reconquête et de la restauration. Homère exprime ici, dans la cabane, la très belle alliance du prince et du serviteur. Pour l'instant, le roi Ulysse n'a pour tout soutien qu'un porcher. C'est là, le début de son armée.

Mais nous savons bien qu'être un *prince de la vie* ne se réduit pas à un titre administratif. Certains pauvres sont royaux dans leurs comportements. Ce sont des âmes simples et fortes, des hommes *ordinaires,* dira George Orwell. Homère ne regarde pas l'humanité à travers la triste grille de lecture socio-marxiste, visant à tout réduire à la question du statut économique. Se contenter comme instrument de compréhension du monde de la ligne distinguant le nanti du défavorisé, l'exploité de l'exploitant, c'est passer à côté de ces liens intérieurs qui lient Ulysse au porcher. Tous deux, à l'un ou l'autre bout de l'échelle sociale, sont d'une même race aristocratique. Entre eux deux : les prétendants.

Ulysse et le porcher passent une belle nuit de veille. Ils se racontent des histoires. Pendant deux mille cinq cents ans, l'homme continuera à inventer des contes. Pour l'heure, donc, le roman. Ulysse ment comme un arracheur de dents. Il brosse des récits épiques, masque son identité, joue les Tartarins.

Quelque temps plus tard, Télémaque, instruit par Athéna, rentre de Sparte et se rend chez Eumée. Athéna manipule ses pions, resserre le dispositif.

Le fils ne reconnaît pas le père dans le mendiant, pas plus d'ailleurs qu'il ne voit Athéna.

Car les dieux ne se montrent pas à tous les yeux

(*Odyssée*, XVI, 161)

rappelle Homère. Quel vers ! Certains hommes distinguent le merveilleux quand d'autres ne le voient pas. Homère indique que nous ne sommes pas égaux devant le sort. Certains sont les favoris des dieux, d'autres pas. Certains discernent le chatoiement dans les interstices du merveilleux. D'autres n'ont pas la double vision. Certains déchiffrent le réel, d'autres se contentent de le regarder.

Télémaque reconnaît enfin son père. Et les larmes coulent des yeux du guerrier de Troie et de ceux du fils. Ensemble, ils achèvent d'ourdir leur plan. Ils vont faire un sort aux prétendants pleins d'insolence (*Odyssée*, XVI, 271). Ulysse assure son fils de la victoire et Télémaque cesse de tergiverser.

Père, tu connaîtras mon cœur dans l'avenir,
j'imagine : il n'est plus en moi d'étourderie.

(*Odyssée*, XVI, 309-310.)

Il devient en cet instant un adulte, il est sorti du tunnel de l'enfance sans avoir besoin de Sigmund Freud.

Pour l'heure, il ne faut pas que Pénélope sache le retour de son mari. Tout juste apprend-elle le retour de son fils. Les prétendants sont consternés, leur embuscade s'est soldée par un échec. Pour eux, déjà, le ciel s'obscurcit. Dans une pensée menée par l'idée de l'ordre, il est écrit qu'un jour viendra où les traîtres paieront.

Commencent les scènes de la reconquête. Le palais sera le théâtre de la justice. Elle se rétablira par la violence. On découvre les prétendants, sûrs de leur droit, vulgaires, obscènes. Homère décrit souvent « l'insolent et ennuyeux vacarme ». Ce cénacle de marquis est familier à nos esprits, n'est-ce pas ? C'est l'image universelle de l'ambition et de la médiocrité. Ils sont sûrs de leur bon droit. Le vacarme est l'écho de la vilenie et, deux mille cinq cents ans plus tard, tous les peuples du monde se rendent compte qu'il y a un rapport proportionnel entre la nocivité d'une communauté et le niveau sonore atteint pour manifester ce qu'elle croit être son triomphe.

Tour à tour, Ulysse est moqué par les prétendants, malmené par Antinoos – leur meneur –, insulté par les servantes, rabroué par les prétendants, agressé même par un autre mendiant.

Dans le monde mythologique, complexe et imprévisible, la classe ne détermine pas la valeur. Princes et gueux peuvent manifester la même médiocrité ou la même vertu. L'homme n'est pas une créature naturellement humaniste et un serviteur n'a pas nécessairement le monopole de l'innocence, de même qu'un seigneur pas forcément celui de la noblesse d'âme. Le monde homérique n'est pas essentialiste. Il ressemble au réel : transversal.

Même Pénélope ne reconnaît pas son prince sous les hardes. Vingt ans ont passé. Athéna est trop rompue aux techniques du transformisme pour qu'Ulysse se fasse démasquer. Tout juste la fidèle Pénélope est-elle émue que ce mendiant lui évoque si précisément son mari. Elle veut le croire vivant, tout le monde l'espère mort.

Le vieux chien Argos reconnaît son maître et en meurt, foudroyé. Et une servante qui lave les pieds de ce mendiant détecte la cicatrice que son maître portait au pied après une blessure de chasse. Un porcher, un chien, une servante : Homère offre une haie d'honneur superbement modeste pour le retour du maître. Peu importe leur condition sociale. Ils triompheront car ils sont du côté de l'ordre. Et il y a du génie romanesque chez Homère à préluder aux triomphes par la levée d'une armée de sans-grade.

On intime à nouveau à Pénélope l'obligation de se prononcer. Ils la pressent, ces faquins ! Elle doit choisir mari parmi les soupirants. Le stratagème de la tapisserie a été éventé. On connaît l'histoire, passée au patrimoine mondial des ruses féminines. Longtemps, elle a prétendu attendre d'avoir achevé son ouvrage pour choisir un époux mais elle détricotait la toile chaque nuit, silencieusement dans le palais.

Athéna inspire à Pénélope de lancer l'épreuve de l'arc dont le vainqueur se verra gratifié de sa main :

Écoutez-moi, superbes prétendants, vous qui avez fondu,
pour y boire et manger sans frein, sur la demeure
d'un homme absent depuis longtemps, et qui ne pouvez pas
donner d'autre prétexte à vos actions
que le désir de m'épouser et de m'avoir pour femme !
Prenez courage, prétendants, car voici votre épreuve :
je vous présente le grand arc d'Ulysse.

(*Odyssée*, XXI, 68-74.)

Ce que les prétendants prennent pour la récompense de leur patience sonnera leur glas. Le massacre est dans l'arc.

Le lecteur le sait, lui. Il est instruit par le poète, il se tient du côté des dieux. Il s'agit pour les concurrents de bander l'arc d'Ulysse, de tirer une flèche et de traverser d'un seul trait douze haches disposées sur le sol.

Télémaque commence mais s'emploie sur un signe de son père, toujours méconnaissable, à échouer. Les prétendants ratent leur tir, ils étaient loin d'avoir assez de force. Ulysse donne ses dernières instructions en se dévoilant à Eumée. On ferme les portes de la cour pour faire du palais une souricière, on sort les armes des magasins, on dispose le plan.

Puis Ulysse se saisit de l'arc sous les quolibets des félons, bande la corde, décoche le trait, triomphe.

« Le nom de l'arc est la vie, écrivait Héraclite, et son œuvre : la mort. » L'arc est un symbole philosophique pour l'homme antique et pour certains d'entre nous encore. C'est l'instrument d'Apollon le guerrier. Le poète Orphée, lui, se sert d'une lyre comme d'un arc pacifié... L'arc et la lyre : quand l'un a servi à restaurer l'ordre, l'autre peut commencer à vibrer pour les chants. Chez Héraclite, l'arc symbolise la coexistence des contraires. Chez Ulysse, il illustre le désir de tendre vers le but, de n'en jamais dévier et d'avoir vécu depuis vingt ans dans l'énergie de la tension. Ulysse n'est pas l'homme de l'éternel retour mais du retour impérieux.

Les prétendants sont stupéfaits. Ce pouilleux a gagné l'épreuve.

Qui pouvait penser que parmi ces convives,
seul devant tant de gens, un homme, même vigoureux,
ferait venir sur lui la mort mauvaise au noir génie ?

(*Odyssée*, XXII, 12-14.)

Ulysse se dévêtit de ses haillons et bondit sur le grand seuil, tenant son arc et son carquois rempli de flèches (*Odyssée*, XXII, 2-3).

Les scènes violentes ont toujours traversé en éclairs les longues narrations du poème. L'*Odyssée* est un récit maritime électrocuté de convulsions qui convergent vers la flèche décochée par Ulysse. Homère accélère, comme au cinéma : il passe à l'acte. Le palais des orgies devient l'estrade des exécutions. La fête est finie pour les félons.

Ulysse et Télémaque, déchaînés, liquident un à un les usurpateurs, en commençant par Antinoos, le meneur, qui reçoit une flèche dans la tête.

Homère renoue avec l'art éprouvé dans l'*Iliade* de décrire le carnage. Lecteurs ! Pas un détail ne nous est épargné. Éloignons les enfants ! À croire que le déchaînement dont s'étaient rendus coupables les hommes à Troie recommence. Les têtes roulent.

Homère nous gratifie de la description des tortures infligées à Mélanthée. Les servantes sont pendues.

> Affreuse s'élevait la plainte
> des têtes fracassées, et tout le sol fumait de sang.
>
> (*Odyssée*, XXII, 308-309.)

Un prétendant, Léiôdès, se jette aux genoux d'Ulysse et l'implore. Il obtiendra d'Ulysse d'avoir la gorge ouverte. Il faut ici recommander aux parents qui voudraient appeler leur enfant Ulysse – je crois que le prénom connaît une bonne faveur – d'y regarder à deux fois. La pitié est absente chez le héros.

Mais s'agit-il vraiment d'un retour de l'*hubris* ? Homère ne décrit pas la furie mais un « génie de la mort ». Attention, la justice expéditive n'est pas la même chose que la violence démonique. La trahison est considérée dans la pensée antique comme l'un des pires vices. Après tout, Ulysse ne fait que se réinstaller dans son bon droit, avec la bénédiction des dieux. Rien de comparable à la frénésie d'Achille ou de Diomède.

LA DOUCEUR DU RENOUEMENT

Puis c'est la nuit d'amour entre Ulysse et Pénélope retrouvée. Les années ont passé sans avoir altéré de la beauté de la seconde et de l'ardeur du premier. L'*Odyssée* se défie du temps. Ulysse raconte tout à Pénélope. Les images défilent : monstres, magiciennes, tempêtes, descente aux Enfers, chant des Sirènes, drames de l'île du Soleil. Voici, en quelques vers, les années d'absence. La situation est vaudevillesque. Imagine-t-on un homme en retard chez sa femme de plusieurs dizaines d'années donner de telles excuses ? « Chérie, pardon, j'ai été retenu par un Cyclope. » Même Feydeau n'eût pas osé.

Pénélope écoute le récit. Cela aurait pu être un autre malheur sur la tête d'Ulysse : que sa femme ne le crût point ! Ce fut l'un des cauchemars de Primo Levi à son retour des camps nazis : que personne ne prêtât foi à ses récits. C'est l'origine de la mélancolie de Chabert : à son retour d'Eylau tout était chamboulé, rien ne lui serait octroyé de semblable à ce qu'il avait quitté. Ulysse, lui, revient dans un monde usurpé mais équivalent à celui qu'il avait quitté.

L'histoire ne s'est pas accélérée. La restauration s'est donc avérée possible.

Ulysse n'a pas accepté que le pouvoir changeât de main. Il n'est guère obsédé par cette ritournelle du XXIe siècle : « Le monde change ! Il faut l'accepter ! » Dans la pensée antique, on ne s'inflige pas ce pensum formulé par Hannah Arendt : « la dégradante obligation d'être de son temps ».

La nuit avec Pénélope nous rappelle comiquement que l'*Odyssée* n'aura été qu'une série d'aventures vécues par des hommes mais fomentées par des femmes. Elles étaient là derrière les décors du cinémascope. La tapisserie de Pénélope ne symbolise-t-elle pas la haute lisse de nos destinées qui se tissent et se détissent ? Athéna secondait Ulysse, Calypso le retenait, Pénélope tenait à distance les putschistes. Hélène était la cause de la guerre de Troie, les magiciennes ourdissaient leurs pièges, les monstrueuses filles de Poséidon et Gaïa, comme Charybde et Scylla, fauchaient les marins. L'homme croit vivre ses aventures. En vérité, ce sont les femmes qui le manipulent. Les premières seraient bien mal inspirées de vouloir être les égales des mâles alors qu'elles leur sont supérieures.

Ulysse aurait pu devenir immortel chez Calypso (celle qui dissimule le temps), oublier le temps chez Circé ou chez les Lotophages. Il préfère se réinscrire, dans la course linéaire des mortels, dans la mémoire. Car l'immortalité offerte par Calypso signifie l'oubli, alors que la nuit avec Pénélope le remet en selle sur la croupe de la vie. Ulysse a retrouvé le temps, Albertine n'a pas disparu.

Femme, nous sommes tous les deux rassasiés
d'épreuves ; toi, tu attendais en pleurant mon retour,
et moi, Zeus et les autres dieux me retenaient
dans la souffrance, loin de la terre de mes rêves.
Maintenant que nous avons retrouvé notre lit,
il te faudra veiller sur les richesses qui me restent ;
pour compenser les bêtes que ces arrogants m'ont prises,
j'irai faire razzia, et les Grecs m'en donneront d'autres
jusqu'à ce que j'aie à nouveau mes étables remplies.
Mais d'abord il me faut aller à mon verger
pour voir mon noble père qui se ronge en mon absence.

(*Odyssée*, XXIII, 350-360.)

Son « noble père »... Le poème s'achève donc sur cette préoccupation suprême : renouer avec la filiation. Aucun homme ne vient de nulle part. La dernière mission d'Ulysse est de se manifester auprès de son père. Il a reconquis l'espace, l'île d'Ithaque. Il doit renouer avec le temps : son origine filiale. Dans la pensée antique, on est de quelque part et l'on est de quelqu'un. La révélation moderne n'avait pas encore consacré le règne de l'individualisme, dogme nous réduisant à des monades auto-générées, sans racines ni ascendance.

Il n'est rien pour l'homme de plus doux
que sa patrie ou ses parents (*Odyssée*, IX, 34-35)

disait déjà Ulysse aux Phéaciens.

À présent, il a accompli son rêve, retrouvé son vieux père.

N'est-ce pas en lui racontant l'histoire des treize poiriers et dix pommiers et quarante figuiers (*Odyssée*, XXIV, 340-341) qu'Ulysse convainc Laërte, encore dubitatif, qu'il est bien son fils ? Et n'est-ce pas en lui posant l'énigme du lit conjugal construit sur un pied d'olivier que Pénélope a confirmé l'identité d'Ulysse ?

Ainsi, les arbres sont-ils convoqués par Homère comme affirmation symbolique de la vérité.

Ce qui est planté ne ment pas.

Peut-être nous trompons-nous en considérant qu'Ulysse a retrouvé la plénitude ? Jankélévitch, dans *L'Irréversible et la Nostalgie*, affirmait le contraire. Selon le philosophe, Ulysse n'était pas satisfait de son retour et les nouvelles aventures prédites par le devin Tirésias prouvent une intranquillité qui jamais n'épargne le voyageur maudit par le goût du départ !

« Quelle est cette inquiétude qui déjà porte l'insulaire au-delà de son île et du bonheur bourgeois ? » Était-ce le propre tourment de Jankélévitch, sa déchirure et sa douleur, qui ne se résignait pas à installer Ulysse dans l'accomplissement du retour ?

Le poème s'achève.

Les prétendants sont conduits aux Enfers. Puis Athéna, sur les conseils de Zeus, étouffe une révolte des gens d'Ithaque. Pensez ! la guerre était sur le point de se rallumer ! La déesse ramène la paix. Les dieux n'aspirent qu'à elle, au retour de l'ordre, et l'*Odyssée* s'achève sur la concorde et le rétablissement des « temps d'autrefois ».

C'est cela, le triomphe d'Ulysse : restaurer la situation de jadis avant d'applaudir à « ce qui sera ». Les derniers mots de l'*Odyssée* sont « durable traité ». Peu avant, Zeus aura soufflé à l'oreille d'Athéna cette tactique pour éteindre les querelles des hommes :

Versons-leur l'oubli des frères et des enfants morts,
que l'amitié renaisse entre eux comme autrefois,
et que la paix et l'abondance viennent les combler !

(*Odyssée*, XXIV, 484-486.)

Zeus appelle ainsi à l'instauration de l'ordre ancien et Homère signale cette vertu si bénéfique aux individus comme aux sociétés : l'oubli.

Si un homme marine dans ses passions tristes, il s'intoxiquera de sa propre mélancolie. Pour les communautés, il en va de même : si elles s'échinent à vivre dans la ratiocination de leurs différends et exigent sans cesse des repentances, l'harmonie ne peut naître entre les hommes.

Désormais, Ulysse, quand il aura accompli un dernier sacrifice à Poséidon, pourra enfin jouir du bonheur.

Il rappelle à Pénélope les mots de Tirésias :

Et la mort viendra me chercher
hors de la mer, une très douce mort qui m'abattra
affaibli par l'âge opulent ; le peuple autour de moi
sera heureux. Voilà tout ce qu'il me prédit.

(*Odyssée*, XXIII, 281-284.)

On ne verra pas cet Ulysse-là.

Ainsi donc, sommes-nous rentrés sur les rivages d'Ithaque. Nous avons assisté à la plus belle réparation possible : un homme a reprisé la part déchirée de lui-même.

L'ordre des anciens jours, défait par l'arrogance humaine, a été restauré par un héros. L'affront à l'harmonie du monde peut se voir racheté.

Grâce à Ulysse sont oubliés les déchaînements de l'*Iliade*, cette guerre où les hommes ont entraîné dans leur rage les dieux, le feu et l'eau – le cosmos tout entier. Ulysse a beaucoup lutté, car rien ne s'obtient facilement ici-bas, ni les biens ni les droits.

Nous devrions, en refermant l'*Iliade* et l'*Odyssée*, nous souvenir que les furies de la guerre ne se sont pas endormies. Leur braise couve. Elles sont toujours promptes à se réveiller. Il n'est pas raisonnable de dormir sur les lauriers de la paix.

Comment expliquer que ce poème âgé de plus de deux millénaires paraît être né d'avant-hier ? Charles Péguy formulait ainsi ce miracle : « Homère est nouveau, ce matin, et rien n'est peut-être aussi vieux que le journal d'aujourd'hui[1]. »

On lira Homère dans mille ans. Et, aujourd'hui, on trouvera dans le poème de quoi comprendre les mutations qui ébranlent notre monde en ce début de XXIe siècle. Ce que disent Achille, Hector et Ulysse nous éclaire davantage que les analyses des experts, ces techniciens de l'incompréhensible qui masquent leur ignorance dans le brouillard de la complexité.

Homère, lui, se contente d'exhumer les invariants de l'âme.

---

1. *Notes sur M. Bergson et la philosophie bergsonienne*, 1914.

Changez les casques, changez les tuniques, mettez des chars à chenille au lieu des chevaux, des sous-marins à la place des nefs, remplacez les remparts de la ville par des tours en verre. Le reste est similaire. L'amour et la haine, le pouvoir et la soumission, l'envie de rentrer chez soi, l'affirmation et l'oubli, la tentation et la constance, la curiosité et le courage. Rien ne varie sur notre Terre.

Les dieux ont pris d'autres visages, les peuples se sont mieux armés, les hommes se sont multipliés, la Terre a rétréci.

Mais tous, nous portons dans nos cœurs une Ithaque intérieure que nous rêvons parfois de reconquérir, parfois de regagner, souvent de préserver.

Et tous, nous sommes menacés par de nouveaux assauts sur des plaines de Troie. Troie peut avoir tous les noms possibles, les dieux sont toujours en embuscade, préparant de nouveaux assauts. Cela ne veut pas dire que les hommes sont maudits et destinés à se battre. Cela signifie que l'histoire n'est pas finie.

Et la lecture d'Homère devrait nous inciter à maintenir à tout prix le « durable traité » de la fin de l'*Odyssée* afin que ne se réveille point la colère d'Achille.

J'espère que la déesse aux yeux de chouette, que les muses et les dieux sauront vous donner de bons conseils et vous inspirer de justes choix. Il est temps de reprendre les nefs, de voguer vers l'ailleurs ou de rentrer chez nous en évitant les magiciennes.

DES HÉROS ET DES HOMMES

Lorsque nous embarquons sur les fleuves homériques, résonnent des mots étranges, beaux comme des fleurs oubliées : gloire, courage, bravoure, fougue, destinée, force et honneur. Ils ne sont pas encore interdits par les agents de la novlangue managériale. Cela ne saurait tarder.

De nos mains, non de l'indolence, viendra la lumière

(*Iliade*, XV, 741)

dit Homère par la bouche d'un de ses guerriers.

À quelle place peuvent prétendre ces concepts incongrus dans une société du bien-être individuel et de la sûreté collective ? Sont-ils à jamais remisés dans le grenier des lunes ?

« Les langues antiques sont langues mortes », entend-on ordinairement. Ces expressions aussi ?

Pis que tous, l'un de ces mots paraît avoir été oublié au fond d'une strate archéologique : l'*héroïsme*. Dans les poèmes, il domine.

L'*Iliade* et l'*Odyssée* sont les chants du dépassement.

Dans cet étourdissement de batailles, ces flots de larmes et d'ambroisie, ces harangues lancées par-dessus les remparts, ces chants murmurés dans l'alcôve, ces amours où les hommes s'aiment avec la grâce des dieux et les dieux avec le ridicule des hommes, au fond de ces grottes peuplées de monstres ou sur ces plages couvertes de nymphes se dresse une figure immuable : le héros.

Sa puissance métaphysique a nourri la culture européenne.

Elle continue à irradier notre inconscient collectif.

À chaque époque, un nouveau héros survient, chargé d'incarner les valeurs du moment.

La figure éternelle devient alors un type sociétal.

Qui est-il, cet homme armé ? Il n'a que son glaive et sa ruse pour lutter contre l'effroi du monde, la tragédie de la vie, l'incertitude des jours. Nous inspire-t-il encore, le héros de la plaine de Troie ? Nous fait-il horreur ? Est-il un étranger, un frère ? A-t-il quelque chose à nous apprendre, à nous qui avons troqué les vertus antiques contre l'aspiration au confort ?

La « prospérité » et le « confort » : ce sont les horizons que prescrit un nouvel (et grisâtre) héros de notre temps, Mark Zuckerberg. L'inventeur de la version numérique de la flaque d'eau de Narcisse (Facebook, disent-ils) a brandi ces deux objectifs de vie lors de son discours, devant les étudiants d'Harvard. Il aurait fallu opposer l'analyse d'Hannah Arendt à ce grossiste en gadgets digitaux. Pour elle, chaque individu pouvait faire son usage du héros homérique. Le héros était la référence, le symbole d'une vertu particulière, l'étalon permettant de mesurer notre propre grandeur. Selon son inclination, chacun pouvait se reconnaître dans tel ou tel. Les partisans de la force brute penchaient vers Ajax. Ceux de la noble tendresse vers Hector, les tacticiens choisissaient Ulysse, les thuriféraires de l'amour paternel Priam, les esprits ambigus et virils, Patrocle. Quant à moi, qui ai consacré une partie de ma vie à boire de l'alcool et l'autre à grimper sur les immeubles, je me retrouvais dans Élpénor qui mourut en tombant dans l'escalier de Circé après avoir abusé de vin.

Si nous aimons à nous identifier aux héros grecs, c'est qu'aucun d'entre eux n'est parfait. Le temps du Dieu monothéiste lointain et abstrait n'était pas advenu. Nous vivions l'âge des divinités faillibles, attachantes, car elles dansaient sur les bords de leurs propres abîmes.

Les Grecs aimaient tant rendre des comptes au réel que même le divin recelait ses failles ! Les dieux n'échappent pas à l'œil critique d'Homère. Aphrodite et Athéna, par exemple, se révèlent capables de se crêper le chignon comme deux harengères du Pirée.

Dans l'éclat du merveilleux chatoie toujours la limite des choses.

Cela rend proche et amicale la lecture d'Homère.

FORCE ET BEAUTÉ

Le héros d'Homère se caractérise par la force. Sa vigueur est sa noblesse. Elle lui permet d'agir et d'arriver à ses fins. Dans le monde homérique, pas d'action sans puissance. Auquel cas, il n'y aurait que des intentions. Le héros s'avance comme un fauve, fait pour la guerre et le mouvement.

Mais la force physique héritée de haute naissance ou acquise de haute lutte est trop précieuse pour qu'on se permette de la gâcher. Au début de l'*Iliade*, la colère d'Achille expose un homme drapé dans sa fâcherie jusqu'au pathétique. Il passera de cette bouderie d'honneur au déchaînement. Achille ne peut prétendre au panthéon des vrais héros. Tout demi-dieu qu'il soit, sa démesure et ses atermoiements ne lui confèrent aucune exemplarité.

Il n'est pas rare de voir le héros se vanter de sa brutalité, dût-il trébucher juste après son auto-glorification, transpercé par une lance. Dans le monde antique, la force aveugle n'est pas une tare ! Aujourd'hui, elle nous fait horreur, la morale la réprouve, la culture la méprise, le droit la condamne.

Venez donc, cravacheurs de chevaux, Troyens magnanimes !
J'ai touché le meilleur de la foule achéenne, et j'affirme
qu'il ne résistera pas à mon trait puissant, si le noble
fils de Zeus m'a bien, de Lycie, dirigé vers ses rives !

(*Iliade*, V, 102-105)

hurle le fils de Lycaon après avoir touché Diomède d'une flèche.

Et Hector lance cette fanfaronnade à Ajax :

Je m'y connais un peu, tu sais, en combats et massacres !
Car je sais porter mon cuir à sénestre et à dextre,
mon cuir sec, mon résistant bouclier de bataille,
et je sais me jeter dans la charge des chars roues-rapides ;
je sais danser d'un pas ferme en l'honneur d'Arès le farouche !

(*Iliade*, VII, 237-241.)

Outre la force, le héros homérique possède la beauté. Sa bravoure est à proportion de sa splendeur. Les Grecs émettaient un lien entre la puissance physique, la valeur morale et la perfection des traits. L'expression *kalos kagathos* témoigne de l'enfantement de la vigueur par la beauté. Le visage d'un homme était le reflet de son harmonie intérieure. Si l'on était beau, l'on était valeureux par une loi logique. Demandez aux panthères, aux tigresses, aux lionnes : elles ne vous contrediront pas.

Hector reproche à Pâris de rechigner à affronter Ménélas en duel. Sa beauté d'éphèbe ne peut décemment pas masquer une impuissance.

Vil Pâris, valeureux séducteur, la folie de ces dames !
.. ..
Ils ricanent bien, les Argiens aux longues crinières,

qui pensaient voir un champion marcher à l'avant de ses
lignes
en voyant ta beauté, toi qui n'as ni cœur ni courage !
.. ..
À quoi te serviront ta cithare et ces dons d'Aphrodite,
tes cheveux, ta beauté, lorsque tu rouleras dans le sable ?
(*Iliade*, III, 39-55.)

L'OUBLI ET LE RENOM

L'affaire majeure du héros grec consiste à accéder à la renommée. La mort sera douce si les générations se souviennent de votre nom. Tout Grec accepte l'idée que la vie est absurde : nous ne nous sentons pas naître, nous allons vers la mort, nous vivons trop vite. Dans ce court intervalle entre le néant des origines et l'abîme de la destination, peu de temps pour un acte frappant, une bonne vie, une *belle mort*.

La gloire alors est le chemin le plus court vers la mémoire collective.

Homère a exaucé une partie des vœux grecs : malgré les efforts des *managers* de la gouvernance démocratique pour saboter l'héritage, nous parlons encore aujourd'hui d'Ajax, de Diomède, d'Achille et de Ménélas. Ils sont avec nous, ils sont parmi nous. Par la grâce du texte, ils n'ont pas été oubliés.

Ah ! puissé-je ne pas mourir sans combat ni sans gloire,
mais accomplir un exploit qu'apprendront les hommes à naître (*Iliade*, XXII, 304-305)

supplie Hector avant son duel contre Achille. Hector est pourtant le plus humain des héros, le plus raisonné et le mieux disposé à vivre une vie d'homme. Hector dont la prière a été entendue puisque je gage que certains de mes lecteurs portent son prénom. Que le premier Hector qui lise ces mots écrive à la maison d'édition (Équateurs, 35, rue de la Harpe, Paris V^e^) : on lui fera parvenir un exemplaire de la traduction de l'*Iliade* par Philippe Brunet aux éditions Points/Seuil.

Si l'ambition suprême est la mémoire collective, la hantise est l'oubli. Peu importe la mort, elle viendra. Peu importe la guerre, on ne la refuse pas. Peu importe le sacrifice : chacun l'accepte (Hélène en offre la plus noble illustration). Peu importe la souffrance physique, elle est le lot de tous. Ce que le Grec redoute, c'est l'anonymat. Le naufrage, dans les eaux de la mer, constitue la pire des fins. Car la mer vous aspire, jetant sur votre corps un voile ineffable.

L'héroïsme grec ne peut se satisfaire d'un effet de théâtre, il aspire à l'éternité du souvenir. Le coup d'éclat sans postérité resterait un pétard dans le néant.

Quand Télémaque rencontre Nestor et lui demande d'évoquer la mémoire d'Ulysse son père, le vieux compagnon d'armes lui donne la clef de la vie réussie :

Et toi, ami, grand et beau comme te voilà,
sois courageux, pour être glorifié plus tard !

(*Odyssée*, III, 199-200)

Pénélope elle-même conçoit moins de craintes à voir mourir son fils qu'à le voir périr sans renom :

c'est mon fils chéri que m'enlèvent les vents,
sans gloire, loin d'ici.

(*Odyssée*, IV, 727-728.)

Même Athéna s'y met, secouant Télémaque de sa torpeur d'enfant :

Tu le sais, il ne s'agit plus
de te montrer enfant : l'âge en est désormais passé.
Ignores-tu la gloire qu'a conquise Oreste
dans le monde, en ayant tué cet assassin,
Égisthe le rusé, qui lui avait tué son père ?

(*Odyssée*, I, 296-300.)

Hannah Arendt voyait dans le renom – le *kleos* – la possibilité pour les hommes de gagner un peu de divinité en gravant leur nom au fronton de l'humanité. Les scènes de massacres de l'*Iliade*, prouesses littéraires, auraient donc une destination infiniment précieuse. Elles offriraient aux victimes d'échapper à l'idiotie du présent, à l'absurdité de notre condition, à la fragilité de l'existence. Une seule règle sous l'armure : qu'on se souvienne du guerrier.

VERSER À LA MÉMOIRE

Il y a pire échec que de disparaître de l'Histoire : s'oublier soi-même. Ulysse essaiera d'échapper aux créatures, aux monstres et aux magiciennes qui tentent de le dévier. L'*Odyssée* est le traité de la fuite. Il s'agit d'échapper aux bras de Calypso qui lui propose de devenir un dieu (il oublierait qu'il est un homme), aux Lotophages qui dealent leur drogue sur un caillou perdu (il oublierait que l'homme souffre), aux Sirènes ensorcelantes (il oublierait que l'homme *s'empêche*) ou à Circé qui transforme ses amants en bêtes (il oublierait jusqu'à son apparence).

Un épisode de l'*Odyssée* met en scène cette projection de l'existence terrestre dans la mémoire publique. Ulysse est accueilli au banquet du roi des Phéaciens. Sans savoir Ulysse dans l'assemblée, un aède raconte le conflit du héros contre Achille. Ulysse entend sa propre histoire dans la bouche d'un barde. Le monde grec vient d'inventer la littérature ! Car la littérature, c'est parler des absents. Ulysse est passé à la postérité. Il a franchi le fleuve de l'oubli. La mémoire l'a accueilli. Il a sa place de droit dans le cosmos parmi les astres et les planètes qui, eux, possèdent une immortalité de fait.

Plus tard, les Grecs de l'âge classique trouveront un moyen de rejoindre l'immortalité en bâtissant des villes, en couvrant le monde d'œuvres d'art, en inventant des systèmes politiques et des lois qu'ils espéreront parfaits et donc impérissables. Certaines traditions asiatiques inventeront les mythes de la réincarnation pour guérir l'homme de n'être qu'une ombre éphémère. Puis les fables monothéistes juives et chrétiennes apporteront leur remède à l'angoisse en affirmant que quiconque – même le moins héroïque et surtout lui, peut-être ! – peut prétendre au paradis. « Heureux les pauvres de cœur, le royaume des cieux est à eux. » Cette parole des Béatitudes est aux antipodes de la doctrine grecque de l'héroïsme.

Dans nos époques contemporaines, le héros ne ressemble plus à Ulysse. Deux mille ans de christianisme, récemment converti en philosophie égalitariste, ont porté au pinacle le faible à la place du guerrier. Les sociétés produisent les héros qui leur ressemblent. Dans l'Occident du siècle XXI, le migrant ou le père de famille, la victime ou le démuni seront dignes du podium. Un Achéen se présentant sur son char dans le Paris de 2018 serait immédiatement arrêté. Rien n'est plus éternel que la figure du héros. Rien n'est plus éphémère que son incarnation.

Hannah Arendt, obsédée par l'Histoire, c'est-à-dire l'inscription des actions des hommes dans la chair de temps, salue l'option grecque dans quelques fortes lignes de *La Crise de la culture* : « Cependant, si les mortels réussissaient à doter de quelque permanence leurs œuvres, leurs actions et leurs paroles, et à leur enlever leur caractère périssable, alors ces choses étaient censées, du moins jusqu'à un certain degré, pénétrer et trouver demeure dans le monde de ce qui dure toujours, et les mortels eux-mêmes trouver leur place dans le cosmos où tout est immortel excepté les hommes. La capacité humaine d'accomplir, cela était la mémoire. »

Ces paroles sonnent étrangement dans l'époque de l'*immédiat*. Le culte du *présentisme* se situe à l'exact opposé du désir d'inscrire ses actes dans la longue durée. Le Grec antique n'est pas l'homme de Zuckerberg. Il ne veut pas coller à l'écran du miroir comme l'insecte sur le pare-brise du présent. Les réseaux sociaux sont des entreprises de désagrégation automatique de la mémoire. Aussitôt postée, l'image est oubliée. Le nouveau Minotaure du World Wild Web a renversé le principe de l'impérissabilité. Gonflé de l'illusion d'apparaître, on se fait absorber par la matrice digitale, grand sac stomacal. Nul héros grec n'a besoin d'un site internet. Il préfère riposter que poster.

Ce Grec, prêt à piller pour sa gloire, nous semble un monstre. Au XXe siècle, dans le monde occidental, l'héroïsme avait encore une valeur évangélique. Il consistait à donner sa vie pour quelque chose qui n'était pas soi-même. Au XXIe siècle, l'héroïsme occidental consiste à afficher sa faiblesse. Sera héros celui qui peut prétendre avoir pâti des effets de l'oppression. Être une victime : voilà l'ambition du héros d'aujourd'hui !

Devenir le meilleur de tous était l'objectif du héros d'Homère.

Tout le monde, il est le meilleur est une injonction chrétienne sécularisée par les démocraties modernes.

RUSE ET ART ORATOIRE

La force fauve n'est pas la seule caractéristique du héros. Une autre vertu se dessine, la *mêtis*, mixte d'intelligence et d'art oratoire. Ulysse rabroue Euryale, jeune prince attablé au banquet phéacien :

Ainsi les dieux n'accordent pas toutes les qualités,
beauté, intelligence et éloquence, à un même homme :
un tel se trouve être, en effet, d'un médiocre visage,
mais un dieu orne ses paroles de beauté ; chacun
le regarde avec joie, il discourt avec assurance
et une douce modestie, il brille dans la foule
et, s'il va par la ville, il est admiré comme un dieu.
Un autre, de visage, est comparable aux immortels,
mais nulle grâce ne couronne ce qu'il dit.

(*Odyssée*, VIII, 167-175.)

Eh oui, charger le sabre au clair dans le gras des troupes ennemies ne suffit pas à sculpter un héros. Encore faut-il savoir soulever une assemblée.

Ulysse, s'il brille par sa force musculaire, est aussi l'homme de la ruse. Son art du double discours déjoue les pièges. Diplomate en chef, il n'hésitera jamais à mentir, à se travestir, à jouer de tous les stratagèmes.

Il tirera son héroïsme de cette double grâce du muscle et de l'esprit. Cette science de la brigue est bénie des dieux en général et d'Athéna en particulier. Elle a pour Ulysse l'affection d'une mère amoureuse.

Quand Ulysse débarque à Ithaque et rencontre Athéna dissimulée sous les traits d'un berger, notre héros ne veut toujours pas dévoiler son identité. Il ment comme il sait le faire, « ayant toujours autant d'astuce dans l'esprit ». Et la déesse est prise de tendresse goguenarde pour ce « héros d'endurance », maître dans l'art de la dissimulation :

Il serait fourbe et astucieux, celui qui te vaincrait
en quelque ruse que ce soit, fût-il un dieu !
Ô malin, ô subtil, ô jamais rassasié de ruses,
ne vas-tu pas, même dans ton pays, abandonner
cette passion pour le mensonge et les fourbes discours ?
Allons ! n'en parlons plus ! puisque nous sommes toi et moi
des astucieux : toi de loin le premier des hommes
en conseil et discours, moi fameuse entre tous les dieux
pour ma finesse et mon astuce.

(*Odyssée*, XIII, 291-299.)

Ulysse apporte au carquois du héros une ultime vertu : la curiosité.

L'*esprit européen* se définirait par la capacité de trancher dans le vif d'une situation. Les Grecs nommaient *kairos* l'art de saisir une occasion, au bon moment, et de prendre une décision limpide et assumée. L'Histoire retiendra l'épisode où les habitants de Gordes soumettent un nœud à Alexandre le Grand. Le roi macédonien dégaine son glaive et, sans barguiner, coupe la pelote, donnant là la plus marquante illustration de sa capacité de discernement.

En plus de cet art de couper court aux poisons de l'hésitation, une autre vertu s'inscrit dans l'*esprit européen*. Elle est incarnée par Ulysse et pourrait se nommer : la soif d'apprendre. Ulysse n'est pas seulement un meneur d'équipage, un orateur endurant, l'amant des magiciennes ou le mari fidèle. Il est l'explorateur qui ne peut jamais s'empêcher de s'enfoncer vers le mystère. Qu'un naufrage lui en offre l'occasion, Ulysse écarte les voiles de brouillard. L'*Odyssée* est un traité d'exploration. Ces îles grecques flottent sur la mer Égée, recelant chacune leur trésor, leur richesse, leur promesse et leur menace. Chacune est un monde. L'*Odyssée* est une traversée de ces mondes.

Et ces mondes sont dangereux. Le Grec circulait dans les archipels de roches et d'écumes étreint par la terreur :

> Hélas ! en quelle terre encore ai-je échoué ?
> Vais-je trouver des brutes, des sauvages sans justice
> ou des hommes hospitaliers, craignant les dieux ?
>
> (*Odyssée*, XIII, 200-202)

se lamente Ulysse arrivé à Ithaque.

Pouvons-nous saisir cette angoisse du *nouveau*, nous autres qui faisons du monde un espace commun et affublons la Terre de cette expression infantile : « notre planète » ? Pouvons-nous comprendre l'effroi à l'heure du tour du monde sans escales et des rêves d'humanité universelle ? Pouvons-nous concevoir que chaque mile marin d'Ulysse l'amène à pousser les portes d'une maison inconnue et à pénétrer en des pièces dangereuses ?

Pourtant Ulysse n'hésite jamais à s'avancer. Il oppose la curiosité à la nouveauté. Sur l'île aux Cyclopes, ou l'île de Circé, il s'aventure. Il va voir, prend son épée, *cherche* à savoir. Quand ses hommes l'enjoignent de ne pas s'éloigner de la nef accostée sur le rivage, il jette sur ses épaules son glaive de bronze à clous d'argent, passe son arc par-dessus et affirme qu'il ira se rendre compte de lui-même parce qu'une nécessité l'y pousse.

Il est vrai qu'il est parfois secondé par la déesse aux yeux de chouette ou par Hermès, dieu ultraclasse qui lui sert d'ange gardien, mais il est surtout aiguillonné par son désir de connaître. Ulysse invente l'exploration gratuite dont les Européens auront le monopole.

Plus tard, l'esprit d'aventure sera porté dans les confins par Vasco de Gama, Livingstone, Lévi-Strauss, Jean Rouch, Cousteau, Hermann Buhl, Charcot et Magellan. Inspiré par Ulysse, l'homme européen a fouillé le monde. Mieux ! C'est lui qui a manifesté un intérêt pour ce qui était *autre* que lui-même. De notre petite péninsule sont nées les sciences humaines – ethnologie, anthropologie, histoire de l'art, philologie. Ces méthodes d'observation, de découverte, servent la compréhension de l'autre. Jamais l'Orient n'a inventé l'« occidentalisme ».

Ulysse a montré la voie sur un morceau de caillou.

Restait à explorer le monde entier.

Ulysse, notre éclaireur.

Enfin, le héros sait renoncer. Nous autres, pauvres humains avides d'honneurs et de lauriers, négligeons férocement un trésor : la bonne vie douce, simple, paisible. Celle qui est là, disposée sous notre regard et dont on mesure la valeur au vide qu'elle laisse en s'échappant. Quand nous la possédons, nous ne la voyons pas. Quand nous l'avons perdue, nous la pleurons.

La bonne vie, celle décrite par Ulysse en quelques vers devant le roi phéacien :

Croyez-moi en effet, il n'est pas de meilleure vie
que lorsque la gaieté règne dans tout le peuple,
que les convives dans la salle écoutent le chanteur,
assis en rang, les tables devant eux chargées
de viandes et de pain, et l'échanson dans le cratère
puisant le vin et le versant dans chaque coupe :
voilà ce qui me semble être la chose la plus belle.

(*Odyssée*, IX, 5-11.)

Parfois, même le plus absolutiste des héros conviendra que « rien ne vaut la vie ». « Rien ne vaut la vie, rien ne vaut la vie », ce *rien ne vaut la vie* rappellera aux nonagénaires une chanson de plage qui eut sa gloire dans un siècle passé... Mais avant d'avoir été un *tube*, cette phrase fut prononcée par Achille alors qu'il refusait toujours d'aller au combat encore drapé dans sa fâcherie :

Rien ne vaut la vie, pas même les biens qu'on raconte
s'être entassés jadis dans Troie, dans la ville opulente.

(*Iliade*, IX, 401-402.)

Plus loin, le héros ajoute :

Seule la vie ne revient pas ; on ne peut la reprendre
ni la ravoir, quand elle a des dents franchi la clôture.

(*Iliade*, IX, 408-409.)

L'*Odyssée* n'est-elle pas l'immense et simplissime effort d'un homme qui aura conquis des murailles, goûté à tous les fastes, vécu toutes les aventures et voudrait bonnement recouvrer la valeur de la vie et vieillir doucement « le reste de son âge » dans son palais reconquis ? L'héroïsme, parfois, fatigue le héros. Il aspire à rentrer.

Les Stoïciens enjoindront de vénérer chaque instant de la vie comme une dernière gorgée. Cette suite d'heures modestes pèse plus lourd dans la balance du destin que les jours splendides dans la conversation des dieux et le choc des armes.

Hélas ! nous sommes nombreux, vous, moi, lecteurs d'Homère, à ne pas comprendre cela, à savoir que nous ne le comprenons pas et que nous le comprendrons trop tard. Nous avons besoin de traverser les mers, de décrocher les lunes, de bouffer toutes les routes. Et, une fois passé les caps, nous saisissons que notre *bien* se tenait là, à portée de regard. L'intelligence eût consisté à désirer ce que l'on possédait déjà. Trop tard ! Enfuie, la vie !

Homère évoquera ce déchirement tout au long des poèmes. Ulysse, Achille, Hector sont l'incarnation de l'homme écartelé entre l'appel du grand large et le destin de l'homme d'intérieur. Faut-il se construire une légende ou jouir de ses petits plaisirs ? Fabrice del Dongo se le demandera au début de ses cavales, sur les bords du lac de Côme. Joseph Kessel résumait ce débat par l'impossibilité de trancher entre « l'arrêt et le mouvement ». On pourrait formuler le tiraillement de mille manières : que faut-il viser ? Le lit conjugal ou l'aventure, les pantoufles ou le cheval de course, la table d'orientation ou la table de chevet, les cartes marines ou les cartes de bridge, le pyjama ou le gymkhana, une femme ou les flammes, les enfants sages ou les chevaux sauvages ?

Pour les Grecs homériques, les termes de l'équation sont la bonne vie d'un côté ou le renom de l'autre.

Andromaque, la femme d'Hector, comprend avant tout le monde que ce choix est la question cruciale. Elle supplie Hector :

> Insensé, ton ardeur te perdra ! Sans pitié tu négliges
> et ton enfant petit, et moi, ton épouse dolente,
> bientôt veuve de toi : les Achéens tous ensemble
> viendront t'occire sous peu.
>
> (*Iliade*, VI, 407-410.)

Elle a pressenti la mort de son mari. Se souviendrait-on de son nom qu'il ne goûterait jamais plus le bonheur de serrer son fils dans les bras. Quand les guerriers comprennent l'intuition d'Andromaque, il est déjà trop tard. Que dira Ulysse à son porcher en rentrant à Ithaque :

Car moi aussi j'ai habité heureux parmi les hommes
une riche maison, et je donnais souvent ainsi
aux vagabonds, sans demander leur nom ni leurs besoins ;
j'avais des serviteurs par milliers, et toutes ces choses
par quoi les hommes vivent bien et sont appelés riches.
Mais Zeus m'a dépouillé : il le voulait sans doute ainsi...

(*Odyssée*, XVII, 419-424.)

Et qu'avoue Ménélas à Télémaque quand le jeune fils d'Ulysse vient lui rendre visite pour lui demander conseil :

j'ai longuement souffert et j'ai perdu une maison
confortable, avec tout ce qu'elle contenait.
J'aimerais mieux aujourd'hui n'avoir que le tiers de tout
cela, et que fussent vivants les guerriers qui périrent
dans la plaine de Troie, loin d'Argos et de ses chevaux...

(*Odyssée*, IV, 95-99.)

Mais le plus déchirant de cette contrition existentielle viendra d'Achille. Ulysse le rencontre au fond des Enfers et imagine le flatter en lui assurant que sa mémoire est glorifiée.

Le spectre d'Achille flottant dans les vapeurs lui assène qu'il a tort :

Ne cherche pas à m'adoucir la mort, ô noble Ulysse !
J'aimerais mieux être sur terre domestique d'un paysan,

fût-il sans patrimoine et presque sans ressources,
que de régner ici parmi ces ombres consumées…

(*Odyssée*, XI, 488-491.)

Héros, bourgeois, anges, démons, hommes de plein soleil et ronds-de-cuir de l'ombre, faites attention ! prévient Homère. Ne cherchez point à trop réussir votre mort. Sous peine de rater ce qui la précédait et qui n'est pas négligeable… la vie !

Brave, beau, harmonieux, fort, renommé, prêt à renoncer à une *vie de café*, comme disait Stendhal pour qualifier l'existence facile : tel est le héros grec. Peut-être à se hisser trop haut regrettera-t-il un jour de n'avoir pas su apprécier sa dernière matinée de printemps. Un héros est l'homme de l'éclat. Son plastron de gloire sera peut-être un jour baigné de ses larmes.

LES DIEUX ET LES HOMMES

Homère ne se contente pas de tracer le contour des guerriers de la plaine de Troie. Entre les lignes se dessine la figure de *l'homme* grec. L'homme antique est un modèle. Sa figure nous émerveille encore. Il y a deux mille cinq cents ans, sur les rivages de la mer Égée, une poignée de marins et de paysans, accablés de soleil, harassés de tempêtes, arrachant un peu de vie à des cailloux pelés, apportaient à l'humanité un style de vie, une vision du monde et une conduite intérieure indépassables.

Deux impératifs moraux gouvernent l'existence grecque : l'hospitalité et la piété. Les poèmes sont traversés de sacrifices aux dieux et de scènes de banquet où le visiteur – Ulysse débarquant chez les Phéaciens ou le roi Priam en mission chez son ennemi mortel – est reçu avec les honneurs. Dans un monde réel servant de miroir au cosmos, l'accueil de l'hôte est une révérence aux dieux. En d'autres termes, le banquet est le reflet profane du sacrifice. Ce serait contrevenir à l'ordre cosmique que de ne pas honorer les dieux avant de prendre une décision et manquer à sa propre grandeur que de ne pas recevoir le vagabond frappant à la porte du palais. Mais, chez Homère, règne la mesure : on ne peut se prévaloir des vertus de l'accueil si on ne possède point le moyen de les assumer. Il ne faut jamais prendre l'expression des vertus grecques pour des intentions abstraites. Rien ne peut se payer uniquement de mots. Quand on accueille un hôte – migrant fuyant la bataille ou naufragé des tempêtes –, c'est que l'on possède quelque chose à lui offrir. Chez Homère, la générosité ne se réduit pas à un effet d'annonce. Si le pourvoyeur en fait publicité, il lui faut les moyens de l'exercer auprès du récipiendaire.

ACCEPTER LE SORT

L'homme homérique accepte son sort, c'est là sa moindre qualité. Selon Aristote, chaque animal sur la Terre accomplit « sa part de beauté et de nature ». De même, l'homme sur le champ de bataille, dans son jardin, dans son palais est là pour vivre son temps. Il y a l'ordre des choses, il y a la part de l'homme. Que peut-on y changer ? La belle Nausicaa, forte de la sagesse de l'âge tendre, adressera telle leçon à Ulysse :

Étranger, qui ne sembles sans raison ni sans noblesse,
Zeus est seul à donner aux hommes le bonheur,
aux nobles et aux gens de peu, selon son gré.
S'il t'a donné ces maux, il faut bien que tu les endures.

(*Odyssée*, VI, 187-190.)

Mais qu'on y prenne garde ! Accepter sa part de vie ne veut pas dire se résigner, passif, aux aléas du sort. Toute l'énergie d'Ulysse ne sera-t-elle pas de retrouver sa place dans l'ordre bousculé par la folie ? Il ne s'abandonnera pas à vivre au gré des courants. Nous touchons là l'un des paradoxes de la définition de la liberté chez Homère : nous sommes en mesure de suivre une course libre dans une carte du ciel dessinée à l'avance. En d'autres termes, tel le saumon déterminé par la nécessité de remonter le flux, on est libre de nager à contre-courant d'un fleuve dont on est impuissant à changer le sens.

Mais personne n'échappe à son destin, je l'affirme,
une fois né, aucun mortel, ni lâche ni noble !

(*Iliade*, VI, 488-489)

dira Hector à Andromaque. Nulle révolte dans cette affirmation. L'homme lutte, se démène, navigue au rebours des éléments, se bat mais ne pratique pas cette activité si cartésienne, si moderne, si française : récriminer contre son sort, chercher des coupables à sa propre faillite, se défausser de ses responsabilités et barbouiller finalement un mur avec son petit pinceau pour expliquer au monde qu'« il est interdit d'interdire ». Cette capacité d'accueillir ce qui doit advenir rend l'homme grec fort. Fort parce que disponible.

SE CONTENTER DU MONDE

L'homme grec se contente du réel. Homère développera cet axiome. Il fécondera la philosophie grecque. Pensée forte et simple : la vie est courte, des choses sont là, offertes dans le soleil, il faut les goûter, en jouir et les vénérer sans rien attendre de *demain*, fable de charlatan. Cet *imperium* de se satisfaire du monde a été sublimement chanté dans *Noces* de Camus. L'écrivain, sur le sol algérien, apprend, sous « un ciel mêlé de larmes et de soleil », à « consentir à la terre ». Oui, la vie pour le Grec antique est un contrat de mariage avec le monde. On prononce l'alliance, aussitôt né sur la Terre, pour le meilleur et pour le pire.

Et si c'était la lumière du *Mare Nostrum* – qu'elle brillât dans l'Alger de Camus ou sur les rives d'Ithaque – qui nous donnait la force d'accueillir la présence pure du monde ? S'émerveiller de la lumière des îles grecques semble un lieu commun. Les agences de voyages ont tellement vanté la bronzette sur le marbre blanc qu'elles ont éculé le sujet. Pourtant, la lumière a poussé les Antiques à accepter leur sort. Elle sert de révélateur. Les choses apparaissent sous sa pluie blanche. Elles se tiennent dans l'éclat d'Hélios, tangibles, installées, irréfutables. Un bloc, un asphodèle, une barque : des choses qu'on ne peut déplacer ni récuser. Et dont il faut se contenter, avec passion. Tout est beau dans ce qui se dévoile (*Iliade*, XXII, 73), clame Priam (on dirait Heidegger philosophant sur les remparts). Être grec reviendrait à comprendre que la lumière est un lieu. Nous l'habitons. Nous nous tenons droits dans sa vérité, sans requérir les brumeuses chimères d'un au-delà… Nous pouvons aimer ce que la lumière nous offre, jouir de « notre part de vie », lutter pour notre cause et attendre la nuit sans la craindre puisque chaque crépuscule nous a appris son arrivée inexorable. Sous le soleil, la vie éternelle semble une idée obscure de bedeau trop pâle pour le grand air.

NE RIEN ESPÉRER

L'homme grec n'attend pas l'au-delà. Il faudra les révélations monothéistes pour brandir devant lui l'imposture des promesses.

Albert Camus prenait le mythe de la boîte de Pandore à contre-pied de l'idée commune. Pandore avait ouvert la boîte et tous les malheurs s'en étaient échappés. Seul était demeuré l'espoir. C'est donc que l'espoir est à compter au nombre des malheurs ! Il serait une insulte au moment présent !

L'homme grec ne pense rien d'autre. Il sait que la vie humaine nous est donnée. Aimons ce qui se tient dans sa vérité impartie. Ne cherchons rien d'autre dont nous ne pourrions disposer aujourd'hui. Adhérons à ce qui nous est offert. Les lendemains ne chanteront pas puisqu'ils n'existent pas. Cette philosophie du contentement pourrait paraître une démission. Au contraire, dans l'absence d'espoir réside une capacité d'accueil de la présence des choses. Devrait-on dire d'*amour* pour la présence présente ? Homère glorifie cette immanence dans un passage de l'*Iliade*, morceau de bravoure poétique. Il s'agit du chant XVIII où Thétis se missionne elle-même chez

Héphaïstos pour lui demander de forger de nouvelles armes qu'elle donnera à son fils Achille.

Le dieu artisan va forger le bouclier du guerrier, un pavois qu'il ornementera de toutes les scènes de la vie familière, pastorale, urbaine, domestique et politique. Et voilà qu'un dieu offre une vision, une photographie de la vie sur la Terre. C'est le Google Earth du dieu Héphaïstos. On comprendra à la description de ce bouclier que toutes les richesses d'une vie humaine sont là, rassemblées dans un intervalle cerné lui-même par les bords du bouclier, pas si inaccessibles que cela. Elles sont à notre disposition, demandent à être moissonnées par nos mains tendues. Pourquoi espérer un autre monde puisque tout est là, ramassé dans le périmètre mesurable d'une campagne ou d'une ville – proche, présent, disponible, amical et connu. Ici et maintenant. Nul besoin d'attendre une moisson dans l'au-delà. Mais il faut avoir l'intelligence de le savoir, la force de le vouloir, la sagesse de le détecter et la modestie de continuer à le désirer. Écoutons la description du monde forgé dans le métal par le dieu artisan et n'oublions pas de ne rien espérer. Contentons-nous de demeurer dans le bouclier. Consentons au monde d'Héphaïstos !

À l'opposé, la rupture de l'homme moderne avec la nature a institué un mécanisme : plus le monde se dégrade, plus se manifeste la soif de religion abstraite. En ce début de XXIe siècle, les religions chimériques connaissent un regain que les médias appellent « retour du religieux ». L'homme s'invente des paradis qui le dédouanent de vénérer son substrat. Pillez le monde, frères humains ! Le paradis vous attend, soixante-dix vierges rachèteront vos forfaits !

Il fabriqua d'abord un bouclier grand et robuste,
le ciselant en tout point, y fit une triple bordure,
étincelante, et le baudrier, attache argentine.
Il était fait de cinq épaisseurs : et sur la dernière,
il forgea, dans ses sages pensers, mille ciselures.
Il y mit la terre, le ciel, et l'onde marine,
l'infatigable soleil et la lune dans sa plénitude,
il y mit les astres, tous ceux dont le ciel se couronne,
et la Force d'Orion, les Pléiades et les Hyades,
l'Ourse, constellation du Chariot, comme d'autres la nomment,
qui regarde Orion et qui tourne sur elle-même,
et qui seule est privée de bain dans les eaux océanes.
Il y mit deux villes peuplées par des hommes-qui-meurent,
villes belles ! Dans l'une avaient lieu des mariages, des fêtes,
on sortait de leur chambre, sous la lumière des torches,
les épouses du jour – l'hyménée résonnait, innombrable ;
les danseurs tournoyaient ; au beau milieu de leur ronde,
lyres cornues et hautbois retentissaient ! Et les femmes,
immobiles, s'émerveillaient sur le seuil de leur porte.
Sur la place, le peuple accourait, car une dispute
s'amorçait : deux hommes, pour le meurtre d'un homme,
contestaient le rachat ; l'un d'eux affirmait être quitte
devant le peuple, et l'autre niait avoir reçu la somme.
Ils requéraient d'un juge qu'il mette fin au litige.
Et les hommes criaient en faveur de l'un ou de l'autre.
Les hérauts contenaient les gens. Les anciens, dans un cercle
saint, se tenaient assis sur des bornes de roc, pierres lisses,
recevant le bâton des hérauts à la voix claironnante.

Ils s'appuyaient, se levaient, prononçaient à leur tour leur
sentence.
Deux talents d'or étaient placés au milieu des deux juges :
ils reviendraient à qui dirait les arrêts les plus justes.

(*Iliade*, XVIII, 478-508.)

COMPLEXIFIER LE RÉEL

Dans les descriptions d'Héphaïstos valsent d'un même mouvement les princes et les paysans, les campagnards et les citadins, les fauves et les bonnes bêtes, la terre et la mer, les guerriers et les hommes en paix. Le monde réel est là, forgé par le dieu, dans sa complexité et la coexistence de ces contradictions. L'idée héraclitéenne du côtoiement des contraires d'où jaillit toute vie se voit représentée dans l'œuvre de l'artisan.

Héraclite : « Dieu est jour nuit, hiver été, guerre paix, satiété faim. » L'homme grec le sait : le monde se présente dans sa variété et il faut accepter ce manteau d'Arlequin. Mieux vaut tout embrasser que tout vouloir séparer. Et reconnaître la diffraction du monde au lieu de chercher à unifier et, pis ! à tout égalitariser.

C'est l'occasion pour Homère de rappeler les hiérarchies profondes des structures du vivant. Le monde d'Homère n'est pas équarri au rabot. Tout ne se vaut pas sous le ciel de l'antiquité. Il y a les dieux et les hommes et les bêtes et, parmi les hommes, de plus ou moins doués selon le bon vouloir divin. C'est cette vision résumée par Achille à Priam lorsque le vieux père vient le supplier de lui rendre la dépouille de son fils Hector :

Il est deux jarres enfouies dans le seuil de Zeus le Cronide,
de cadeaux funestes qu'il donne, ou prospères dans l'autre !
Qui reçoit un mélange, de Zeus que réjouit le tonnerre,
rencontrera tantôt la faveur et tantôt la disgrâce.
Qui reçoit des malheurs sera rendu misérable.

(*Iliade*, XXIV, 527-531.)

La société grecque est aristocratique. Il ne s'agit pas d'une aristocratie de titre, mais d'une transposition dans le monde des hommes de l'inégalité naturelle. Si Ulysse surpasse les autres, ce n'est pas qu'il soit le propriétaire d'une satrapie insulaire, mais parce qu'il se montre le plus fort, le plus intelligent et le mieux bronzé par l'expérience de vingt ans d'aventures. Quand il retourne en son palais, ce n'est pas en motivant un acte notarié qu'il récupérera son bien, mais grâce à son bras vengeur, l'aide des dieux et sa force mentale.

SAVOIR SE LIMITER

Le bouclier d'Héphaïstos est une pièce ronde, cernée par ses bords. Elle contient la vie dans son miroitement, mais elle est découpée circulairement et sa circonférence sert de bordure au guerrier. Elle englobe les choses en leur conférant une frontière. Ce qui vaut pour une pièce de métal vaut pour l'homme. Un Grec doit savoir se contenir et jouir de ce qu'il reçoit dans des limites de la disposition naturelle. Un jour, Apollon intervient sèchement pour rappeler à l'ordre Diomède qui se déchaîne à grands coups de lance :

Fils de Tydée, attention, méfie-toi : recule ! N'élève
pas tes pensées jusqu'aux dieux. Il n'est pas d'origine commune
aux divins immortels et aux hommes marchant sur la terre.

(*Iliade*, V, 440-442.)

Et Homère qualifie de « terribles » ces paroles du dieu Apollon ! L'écart est sifflé, l'homme ramené dans ses cordes et Diomède recule. Il a voulu passer la ligne, on lui a signifié la faute.

L'impératif de la mesure irrigue la philosophie

grecque. Et constituera l'un des enjeux des poèmes. *Rien de trop*, était-il écrit sur le portique de Delphes. Cela ne veut pas dire que *point trop n'en faut*. Cela signifie qu'il convient de savoir s'arrêter aux parapets du monde. Tout dépassement mènera au pire. Tout ce qui brille trop, éclate ou triomphe inconsidérément, subira un jour un retour de bâton. L'*Iliade* insiste en permanence sur ce revirement de la force. Le vainqueur se trouvera un jour défait. Les héros s'enfuiront après avoir gagné. Les Achéens se débanderont après s'être approchés des Troyens qui, eux-mêmes, reculeront à la suite d'un assaut réussi. La force est un balancier. Elle va et vient d'un camp à l'autre. Et les puissants d'hier sont les faibles du chant suivant. Tout dérapage se paie. Parfois le prix s'annonce terrible. Si la mesure a été honteusement bafouée, le verdict tombera, absolu. N'oublions pas ce vers : Arès est commun : il occit qui vient de t'occire (*Iliade*, XVIII, 309). Les héros à qui une proportion de force est octroyée par les dieux périront de l'avoir utilisée sans modération.

Après tout, les malheurs d'Achille viennent de son emportement. Déchaînement fatal ! Assaut final ! Verdict implacable !

Ulysse lui-même devra porter son fardeau (sa croix – dirait-on si mille ans avaient passé) pour avoir pillé Troie et insulté le Cyclope.

Ces guerriers triomphants que l'on a vus briller finissent dans le *pathos*. Patrocle périra au sommet de sa fureur d'un coup de lance dans le dos, Hector tombera et son corps sera souillé, Agamemnon sera supprimé par un complot conjugal, Ajax se suicidera,

Priam finira égorgé. Hécatombe de la justice immanente ! Tous paient la tornade qu'ils ont contribué à lever sur la plaine de Troie.

Tous expient l'*hubris*.

Ainsi donc y a-t-il les dieux, les héros et les hommes. Chacun vogue vers sa mort. Elle sera plus ou moins glorieuse. Chacun reçoit sa part de vie et sait plus ou moins s'en satisfaire. Chacun est plus ou moins libre de danser sous un ciel où sont écrits les grands axes de la destinée. Mais tous – habitants de l'Olympe, paysan paisible ou guerrier casqué – ne doivent pas oublier que la vie n'est rien sans la mesure de la vie.

Et tous sont placés devant cette épreuve : sauront-ils circuler sans trop franchir les lignes ?

LES DIEUX, LE DESTIN
ET LA LIBERTÉ

L'*Iliade* et l'*Odyssée* confrontent le poids du destin et l'espoir de liberté.

Qui est le héros d'Homère ?

Le jouet des dieux ou le maître de sa propre partie ?

Un pantin ou une force vive ?

« Dieu ne joue pas aux dés », croyait Einstein. Les dieux de l'Olympe le faisaient, eux, sur la plaine de Troie. Ils jouaient même aux échecs et les pions portaient vos noms, Ulysse, Achille, Hector, Ménélas et Diomède, et vous, Agamemnon, Priam et Patrocle, et vous encore, Andromaque et Hélène. Comme ils disposaient de vous sur l'échiquier de leurs intrigues ! Avec quel cynisme et quelle désinvolture !

Ô héros achéens et troyens, êtes-vous souverains de vos vies ? Ou jouets des habitants de l'Olympe à qui vous adressez tant de prières ?

Les dieux ne demandent pas à l'homme grec de se conformer à un dogme. Le monde mythologique n'est pas moral. La vertu ne se mesure pas à ce qui est licite ou illicite comme chez les mahométans, à ce qui est bon ou mauvais comme chez les chrétiens. Tout est franc sous le ciel antique : les dieux ont besoin des hommes pour leurs affaires personnelles.

Ce terrible vers de l'*Iliade* balaie nos prétentions de peser quoi que ce soit dans la balance. Glaucos s'adresse à Diomède :

Telles les races des feuilles, telles les races des hommes :
tantôt tombant sous le vent, tantôt s'accroissant innombrables,
sous la poussée des forêts, quand survient la saison printanière ;
ainsi, des générations : l'une croît et l'autre s'efface.

(*Iliade*, VI, 146-149.)

C'est un vers affreux et lucide !

Un vers d'avant la révélation monothéiste. Celle-ci renversera l'équation et juchera l'homme au pinacle du temple du vivant. Mais, dans la lumière antique, l'homme reste une paille ! Cette idée de l'inconsistance de nous-mêmes a traversé la philosophie. Des penseurs se sont relayés pour formuler l'idée de notre vacuité. Héraclite le premier avec sa vie comme passage éphémère. Le Bouddha et sa permanence de l'impermanence. Cioran, l'auteur de *L'Inconvénient d'être né*. Et le fameux mot de Céline : « C'est naître qu'il n'aurait pas fallu. » Nombreux furent les penseurs à ne pas croire à la suprématie de l'homme. Et voici Pindare, dans la VIIIe Pythique aux accents homériques : « Êtres éphémères ! Qu'est chacun de nous, que n'est-il pas ? L'homme est le rêve d'une ombre. »

N'est-ce pas l'écho de cette sentence de Zeus :

Rien ne mérite plus les gémissements que les hommes,
parmi tous les êtres vivants et marchant sur la terre.

(*Iliade*, XVII, 446-447.)

La seule fraternité de notre pauvre communauté humaine serait le sentiment d'appartenir à une race maudite ployant sous le faix du destin.

LES DIEUX, LES FAIBLES DIEUX

Mais pas de neurasthénie ! Chassons la mélancolie.

Il y a une première consolation dans les poèmes d'Homère. Elle pourrait paraître maigre. Elle me semble cruciale : les dieux non plus n'échappent pas aux commandements du destin. Ils subissent les hiératismes du sort.

On aurait tort de confondre dans la pensée mythologique la destinée et la divinité. Les dieux ne sont pas les maîtres du jeu !

Le destin n'est pas un dieu. Le destin symbolise le dessein cosmique et immanent sur lequel repose ce qui apparaît dans le monde et se cache dans les arrière-plans.

Le destin est cette architecture du temps, de l'espace, de la vie et de la mort, marqueterie où tout se sertit, vit, disparaît et se renouvelle. Le destin, saison en sursis perpétuel.

Quand les hommes rompent l'ordre, ils insultent la vie, doivent payer leur démesure. Il coûtera vingt ans de calvaire à Ulysse d'avoir exercé sa fureur dans Troie. Il coûtera à Achille de finir en spectre dans les Enfers.

Mais les dieux ? Sont-ils, eux aussi, soumis aux oukases du destin ? Sont-ils parfaitement maîtres de leurs visées ? Ont-ils le devoir de respecter un ordonnancement suprême ? Homère n'apporte jamais une réponse tranchée à la question. Elle intéressera plus tard les fidèles des révélations monothéistes occupés à faire correspondre l'omnipotence d'un Dieu aux linéaments du destin (*ce que Dieu veut*, dira-t-on après les illuminations des prophètes orientaux). Pour l'heure, dans les temps homériques, la situation est plus mouvante. Même les dieux grecs voient leurs plans contrecarrés par les soubresauts de l'action.

Songeons que Zeus, « le très-haut », « père des dieux et des hommes », voit son fils Sarpédon mourir sur le champ de bataille, tué par la lance de Patrocle. Zeus pourtant voudrait le sauver mais Héra l'a convaincu de ne pas le faire dévier de son sort, de ne pas l'affranchir de la mort malsonnante (*Iliade*, XVI, 442). Elle a supplié son mari : « Laisse-le », et Zeus abandonnera son fils. Plus tard, un jeune Palestinien révolutionnaire, crucifié sur le mont Golgotha, se tournera en pensée vers son père avec un accent homérique : « Père, pourquoi m'as-tu abandonné ? »

Ainsi donc, même lui, Zeus, ne règne pas totalement sur ce qui advient. Il doit composer avec la fatalité, la *moïra*, le *sort*, part de ce que l'on reçoit et de ce qui se manifeste. Un sort, un destin, une ligne, une écriture, la monnaie d'une pièce, c'est ce qui nous échoit. Homme, bête ou dieu, il faut l'accepter.

Si les dieux poursuivent leurs propres plans, ils n'offrent pas de cadre général aux hommes. Ils ne désirent ni notre salut ni notre malédiction.

Ils n'ont d'autres objectifs que leurs intérêts. Si les dieux incarnaient le destin, ils orienteraient le faisceau des événements vers une idée supérieure.

On les retrouve souvent, ces dieux assis en assemblée autour du Cronide, sur la terrasse d'or (*Iliade*, IV, 1-2), en train de se demander nonchalamment s'ils vont précipiter les hommes dans la guerre :

> Examinons, quant à nous, ce qu'il adviendra de l'affaire :
> aiderons-nous la guerre mauvaise et l'atroce tumulte
> à s'embraser, ou renforcerons-nous l'amitié des deux peuples ?
>
> (*Iliade*, IV, 14-16)

demande Zeus à ses dieux autour de lui assis. Quelle incroyable scène ! Ainsi donc notre sort est-il décidé par des dieux à moitié alanguis devant un ouzo frais, sous un portique.

On dirait ces Grecs de l'imagerie d'Épinal, s'ennuyant à jouer aux cartes sur les places des villages de marbre.

Et, finalement, Zeus déclenchera la guerre de Troie pour le bon plaisir d'Héra qui veut l'écrasement des Troyens afin de se revancher d'avoir été humiliée par Pâris quand le berger décréta que la plus belle déesse était Aphrodite. Zeus devra ainsi louvoyer tout au long de la guerre.

Il devra satisfaire pareillement Thétis et Héra, l'une qui veut la victoire des Troyens, l'autre celle des Achéens. Zeus est le président de la synthèse. Tout est aussi compliqué sur l'Olympe que sur le sol des hommes, à l'université d'été du parti socialiste. L'Olympe, bazar affreux.

Dans l'état-major divin règne une politique confuse, changeante, stratégie du domino. Les guerres modernes nous y ont habitués. Une puissance soutient les ennemis de ses ennemis sans se rendre compte qu'ajouter au désordre du monde n'est jamais bénéfique pour l'avenir.

Une seule chose est sûre, les dieux ne veulent pas la paix.

La guerre est utile à ceux qui règnent.

Pis ! parfois, ils prisent la guerre. Quand les divinités s'affrontent physiquement (comme Athéna et Arès), Zeus se réjouit :

En lui-même riait son cœur en liesse.

(*Iliade*, XXI, 389.)

Grâce à la guerre, Zeus distribue tour à tour ses faveurs à l'un ou l'autre dieu. Dans ses mains, les hommes sont une *variable d'ajustement* pour la stabilité de l'Olympe. Un jour, il dit à Athéna qui s'insurge de ses atermoiements :

ma fille, patience ! Je ne te parle
pas d'un cœur violent ; envers toi, je veux être agréable.

(*Iliade*, VIII, 39-40.)

Ce qui sous-entend : va où ton ardeur te porte, tu reprendras le combat !

C'est une théorie que bien des philosophes –

Proudhon par exemple – ont formulée : les puissants ont intérêt à ce que les hommes se battent.

Aujourd'hui, deux mille cinq cents ans après Troie, quelques « dieux sombres » sont toujours à la manœuvre pour diviser les hommes. Ils ne s'appellent plus Zeus, Apollon, Héra ou Poséidon. Leurs noms sont plus profanes, leur apparence sans formes ni contours. Mais leurs objectifs équivalents.

Le contrôle des ressources, l'accès aux énergies, la puissance abstraite de la finance, les mouvements démographiques, la propagation des religions révélées, ne sont-ils pas les nouveaux mauvais dieux d'un Olympe éternel où l'homme est destiné à se maintenir en guerre pour la gloire des chiennes sanglantes ?

Parfois, ces dieux humains, trop humains, ballottés par le sort, se révèlent presque pathétiques dans leurs constructions tactiques, ridicules même – comme lorsque Héra demande à Aphrodite son aide pour ensorceler Zeus et que la déesse de l'amour lui donne une lanière brodée où tous ses charmes résident (*Iliade*, XIV, 215) à placer dans le pli de ta robe (XIV, 219). Imaginez, chez nous, une dame offrant à sa meilleure amie une nuisette pour étourdir monsieur.

Contrecoup des désordres et des faiblesses dans les sphères de l'Olympe, les hommes se meuvent douloureusement entre la destinée, la volonté brouillonne des dieux et leurs propres aspirations.

La soumission aux Parques offre à l'homme l'occasion de se déprendre de toute responsabilité.

Comment se sentir coupables de nos manquements si l'on part du principe que les Moires royaument nos vies ?

Agamemnon s'adresse ainsi à ses troupes après sa réconciliation avec Achille. Son auto-plaidoirie ressemble à la bafouille d'un professionnel de la politique :

je ne suis pas le coupable.
Zeus, et la Moire, et l'Érinye encerclée par les brumes,
en assemblée, m'ont jeté dans le cœur l'Égareuse sauvage,
lorsque je pris moi-même la part revenant à Achille.
Mais que pouvais-je faire ? Un dieu accomplit toutes choses ;
la fille aînée de Zeus, Égareuse, égare son monde,
fille funeste : ses pieds délicats jamais ne cheminent
sur le sol, elle foule au contraire la tête des hommes,
en causant des dégâts, et entrave toujours quelqu'un d'autre.

(*Iliade*, XIX, 86-94.)

Plus loin, il poursuit sa ligne de défense :

Si je me suis égaré, si Zeus s'est joué de mon âme.

(*Iliade*, XIX, 137.)

Souvenez-vous de ce slogan ministériel des années 1990, si conforme à la médiocrité des arrivistes : « Responsable, mais pas coupable ». Les prévenus durent s'inspirer du roi achéen pour peaufiner leur oxymore. On ne saurait retenir ces tartuffes comme un modèle de vertu grecque.

Certes, tous les héros ne se réfugient pas derrière l'excuse des volontés extérieures. Certains assument ce qu'ils font. Et le héros homérique est peut-être justement celui qui accepte son sort, revendique son objectif, endosse sa part de responsabilité et assume ses actes.

Les poèmes d'Homère éclaircissent le mystère de l'intervention des dieux dans les affaires humaines. Les Grecs croyaient-ils à leurs mythes ? s'interroge Paul Veyne. On pourrait renverser la question : les dieux pensaient-ils contrôler les hommes ? Quand les dieux s'immiscent dans le monde des mortels, leur intervention prend plusieurs formes : elle inspire leurs actes, les guide, les révèle, les manipule parfois.

Les dieux diffusent leur force en distillant dans l'organisme des soldats une vigueur magique, invisible, un baume. Alors, les guerriers s'avancent nimbés d'une aura. L'élixir coule en leurs veines et centuple leurs forces. Ils ne sont pas des dieux, ils valent mieux que des machines, ils ne sont plus des hommes. Ils sont *habités* par un dieu.

En termes modernes, on appellerait cette percolation du pouvoir des dieux dans l'homme « un moment de grâce, une inspiration ». En langage militaire, c'est « le moral des troupes ».

On sait combien les chants patriotiques galvanisent les peuples. Pendant le Premier Empire, la seule présence physique de Napoléon sur le champ de bataille secouait les grognards de leur torpeur.

Dans l'*Iliade*, ce n'est pas Napoléon Bonaparte, mais Athéna disant à Diomède :

Prends courage, Diomède, affronte la foule troyenne.
Je t'insuffle au cœur cette mâle vigueur paternelle.

(*Iliade*, V, 124-125.)

Homère décrit alors la transformation physiologique du guerrier.

Auparavant il avait déjà grande envie de bataille,
mais sa force était triple à présent : tel un lion formidable,
que le berger, gardant son troupeau d'agnelles laineuses,
a blessé quand il franchissait l'enclos, sans l'abattre ;
loin d'écarter le fauve, il n'a fait qu'accroître sa force ;
car il se terre dans sa cabane – les bêtes s'affolent,
se tapissent au sol les unes contre les autres –
puis, furieux, d'un bond, il sort de l'enceinte profonde :
avec la même fureur, Diomède attaquait l'adversaire.

(*Iliade*, V, 135-143.)

Le dieu est descendu dans l'homme. Une transsubstantiation s'opère. Le fluide divin irrigue le guerrier, le soulève au-dessus de ses semblables.

Parfois, dans la vie profane, on a vu de ces humains mus par une force qui ne leur appartenait pas. Ainsi de cet aviateur égaré dans les Andes revenant à la civilisation à pied à travers la montagne : « Ce que j'ai fait, aucune bête au monde ne l'aurait fait. » Les dieux avaient peut-être insufflé leur force à Guillaumet. Dans *La Chartreuse de Parme*, Stendhal décrit Fabrice au moment de son évasion « comme poussé par une force surnaturelle ». Elle lui fait franchir les remparts et les précipices.

Une autre illustration homérique de cette perfusion : un jour, Poséidon décide d'encourager les Achéens et, surgissant de la mer, il frappe les deux Ajax de son bâton comme d'un coup de baguette magique. L'un des deux guerriers se confie :

Voici que moi aussi, sur ma lance, mes mains redoutables
sont frémissantes, je sens la vigueur monter, et je brûle
à mes deux pieds, en bas ; et même seul, je désire
affronter Hector Priamide insatiable de guerre.
Tels étaient les propos qu'ils échangeaient l'un et l'autre,
dans l'ardeur joyeuse qu'un dieu jetait dans leur âme.

(*Iliade*, XIII, 77-82.)

Et voilà les deux Ajax soudain augmentés par les dieux (cette vieille chimère de « l'homme augmenté », imposture technoïde de notre temps, date de la plus profonde antiquité). Cette faveur des dieux réservée à certains hommes fait grincer les autres, les pauvres délaissés qui eux n'en jouissent pas.

Bien des fois dans l'*Iliade*, on entendra la récrimination. Ménélas reprochera à Hector d'être dopé à l'EPO divin :

Quand un mortel en dépit du destin veut en combattre un autre,
que les dieux favorisent, voici que survient le désastre.

Je ne crois pas qu'un Danaen, s'il m'observe, m'en veuille,
si je m'écarte d'Hector, car un dieu lui octroie sa vaillance.

(*Iliade*, XVII, 98-101.)

C'est un reproche crucial. Est-on encore un héros quand on reçoit le secours d'un dieu ?

LES DIEUX ET L'ACTION DIRECTE

Parfois les dieux ne se contentent pas de verser dans l'organisme quelques gouttes d'élixir ! Ils prennent part au combat, s'invitent dans le réel, se manifestent d'un geste.

Faut-il alors parler d'un *miracle* comme lorsque la Vierge Marie apparaît dans une grotte des Pyrénées ? Non ! car, chez les Grecs du VIIIe siècle, la proximité des dieux avec les hommes ne tient pas du surnaturel mais d'une descente ordinaire des habitants de l'Olympe dans le petit guignol humain.

Ici, un dieu détourne une flèche, là, une déesse guide la trajectoire d'une lance ; là, Athéna se transforme en oiseau ; là encore, elle se tient à la poupe du bateau de Télémaque. Achille est ainsi retenu par Athéna quand il s'enrage au point de vouloir tuer Agamemnon.

Apollon protège Hector d'une brume massive où se perd quatre fois la lance d'Achille. Priam va chez Achille grâce à l'intervention d'Hermès.

Et parfois même les dieux se battent, participant à la mêlée jusqu'à imiter les empoignades des hommes, faisant ainsi l'aveu qu'ils ne sont pas des entités parfaites, épargnées par la rage.

Les dieux sont à ce point mêlés à notre existence qu'ils laissent parfois s'évaporer la nuée censée les soustraire à nos regards. Le merveilleux est banal dans le monde mythologique.

Parmi les dieux, les uns apparaissent sous une forme humaine, tel Poséidon grimé sous les traits d'un devin au chant XIII de l'*Iliade*. D'autres rayonnent dans leur forme divine telle Athéna qui touche les cheveux d'Achille au chant Ier. Précisons que tous les hommes ne voient pas l'apparition, car les dieux ne se montrent pas à tous les yeux (*Odyssée*, XVI, 161), comme le souligne Homère quand Athéna apparaît à Ulysse sans que Télémaque la reconnaisse.

C'est Athéna, tantôt grimée en Déiphobe pour abuser Hector ou en Mentor pour encourager Télémaque, tantôt s'envolant en hirondelle dans le palais d'Ulysse. C'est elle, la déesse aux prunelles ravissantes. C'est elle, aux yeux de chouette, qui déploie le plus de science dans l'art de la transformation.

Et si les dieux n'étaient que la transposition de nos sentiments, l'incarnation de nos expressions ou, en termes cuistres, l'objectivation dans une présence symbolique de nos états intérieurs ?

Ces reflets psychologiques auraient nom Aphrodite quand il s'agirait de la séduction, Arès quand nous serions en rage, Athéna quand l'heure viendrait à la ruse, Apollon quand la fièvre martiale nous envahirait. Et quand Athéna retient Achille de tuer Agamemnon, n'est-ce pas la métaphore du débat intérieur ? Cette théorie de la personnification divine de nos humeurs a servi de combustible à la théorie psychanalytique, dont Henry Miller disait, avec son sens habituel de la nuance, qu'elle n'était que *l'application des mythes grecs sur les parties génitales*.

Nous autres, les hommes, sommes-nous libres ou manipulés ?

Les Parques représentent ces fées qui déroulent, filent, coupent la trame du destin auquel même les dieux sont soumis. De quel mouvement dispose-t-on si nos existences se déploient dans un canevas déjà tissé ?

Homère ne nous éclaire pas sur la question.

Les hommes le savent : les dieux disposent d'eux. Priam console ainsi Hélène au début de l'*Iliade* :

> tu n'es en rien responsable : les dieux sont, pour moi, responsables,
> qui m'envoyèrent la guerre achéenne, galère de larmes !
>
> (*Iliade*, III, 164-165.)

Plus loin, le même Priam invite ses guerriers au repos et leur lance :

> nous reprendrons plus tard le combat, jusqu'à ce que tranche
> quelque dieu, qui donne aux uns la victoire, ou aux autres.
>
> (*Iliade*, VII, 377-378.)

Si Ulysse échappe à l'envoûtement de Calypso, c'est que les dieux le veulent bien.

Zeus dira à l'assemblée en ouverture de l'*Odyssée* :

Réfléchissons tous à son retour.
Trouvons comment le ramener.

(*Odyssée*, I, 76-77.)

Le retour d'Ulysse est donc un retour *autorisé* par les dieux et non une victoire du héros sur son destin.

Ce qui advient dans la vie des hommes se réduirait à ce que les dieux concèdent. Hector va même plus loin dans cette soumission de l'être à la promesse du sort. Avant de rejoindre le combat, il fait ses adieux à Andromaque, sait qu'il ne verra pas grandir son fils et laisse tomber cette parole :

personne n'échappe à son destin, je l'affirme,
une fois né, aucun mortel, ni lâche ni noble.

(*Iliade*, VI, 488-489.)

Mais alors ? Serions-nous à jamais esclaves du canevas tissé pour nous par des forces supérieures ? Quelle place laisser à nos propres ressorts ? Homère laisse entrevoir un intervalle d'action laissé aux pauvres hommes, lorsque Achille confie :

Mais je désire
apporter aux Troyens jusqu'au dégoût de la guerre.
Et, hurlant, il poussa vers l'avant ses chevaux pieds-rigides.

(*Iliade*, XIX, 422-424.)

On peut donc nourrir ses propres stratégies !

Ainsi donc y aurait-il des échappées dans la fatalité. Une faille existe dans l'omnipotence des dieux puisque l'homme antique peut les faire fléchir ! Les dieux eux-mêmes sont souples (*Iliade*, IX, 497), dit Phénix à Achille pour le convaincre de revenir dans la mêlée,

> eux qui possèdent plus d'honneur, de vaillance et de force.
> Ces immortels, par le sacrifice et l'offrande votive,
> par le fumet et le vin, les hommes fléchissent leur âme,
> lorsqu'ils implorent leur aide pour quelque péché, quelque faute.
>
> (*Iliade*, IX, 498-501.)

Tout se négocie en Olympe !

La liberté de l'homme consisterait à accepter plus ou moins intensément ce qui est écrit pour lui. C'est l'artère de la pensée homérique : la liberté ne revient pas à décider de son sort, mais à l'accepter d'abord, puis à l'accueillir avec plus ou moins d'énergie, à s'y abandonner avec plus ou moins de grâce.

Le héros grec aurait la liberté de se comporter dignement dans sa parenthèse de vie, y exprimant au mieux son savoir-vivre et son savoir-mourir. Ainsi donc, nous pourrions jouir d'une certaine latitude dans le cadre déjà écrit du destin…

En somme, vivre reviendrait à aller, en chantant, vers un sort promis.

Cette tension entre le sort et le libre arbitre s'apparente à une double causalité.

Chez Homère, les hommes reçoivent l'aide des dieux mais conservent « en même temps » une part de liberté puisqu'ils peuvent se ruer avec plus ou moins d'enthousiasme vers le destin et, parfois, entreprendre une manœuvre.

Les dieux mènent la danse. Ils le savent.

On peut les faire fléchir. Ils le savent aussi.

Le destin est en place mais il y a un intervalle dans l'écriture.

En somme, on peut sertir quelque chose dans la marqueterie du destin. La preuve : ces paroles prononcées par le chœur de l'armée sur la plaine de Troie.

> Et chacun disait, regardant le ciel large-voûte :
> Zeus, notre Père régnant sur l'Ida, très-haut et très-noble,
> donne à Aias de vaincre et de prendre la gloire éclatante !
> Si tu chéris Hector, si c'est son salut qui t'importe,
> donne-leur une égale part de force et d'éloge.
>
> (*Iliade*, VII, 201-205.)

Une « part égale », mot crucial. Tout resterait possible et la latitude humaine décidera en dernier ressort de l'issue des choses. Au moins les hommes peuvent-ils se consoler avec cette illusion…

Achille est l'incarnation parfaite de la double causalité entre la destinée et la liberté. Il sait qu'il va mourir. Sa mère le lui a prédit. Il sait bien que son lot est de trouver la mort sur ces rives.

Pourtant, il a le choix. Il pourrait reprendre sa nef et rentrer chez lui. Il renonce au combat jusqu'à la mort de Patrocle. Puis il s'y précipite.

Il sait qu'il mourra en tuant Hector car Thétis le lui a dit, il se rue néanmoins au combat, verse dans la folie, sème la désolation. Les dieux tentent de l'arrêter, il finira en ombre jetée dans les Enfers.

Ainsi donc voilà un héros dont le souhait fut d'aller vers son destin. Y aller *malgré tout* et y aller *quand même*.

La liberté consisterait à se mettre en marche vers l'inéluctable. L'acceptation comme expression de la liberté peut sembler lugubre, à nous autres, nomades modernes. Elle se montre étrangère à notre psyché où nous glorifions l'autonomie individuelle.

Mais c'est une idée très belle. Car, après tout, nous allons mourir. Nous ne savons ni le jour ni l'heure mais nous savons que le voile tombera. Cela nous empêche-t-il d'entrer dans la danse ?

LA CONCLUSION DES DIEUX

Au début de l'*Odyssée*, Zeus prend la parole devant l'assemblée des dieux. Il condamne Égisthe, le meurtrier d'Agamemnon, qu'Oreste supprima par vengeance filiale. Zeus, en quelques phrases, brosse l'équation de la part de destin et de liberté octroyée aux hommes.

Hélas ! voyez comment les mortels vont juger les dieux !
C'est de nous que viendraient tous leurs malheurs, alors qu'eux-mêmes
par leur propre fureur outrant le sort se les attirent,
ainsi qu'on vit Égisthe outrant le sort prendre à l'Atride
sa femme légitime, et le tuer à son retour,
sachant la mort qui l'attendait, puisque nous l'avions prévenu
par l'entremise du Veilleur éblouissant, Hermès,
de ne pas le tuer, de ne pas rechercher sa femme !
Car Oreste viendrait lui en faire payer le prix
dès qu'il aura grandi et désirerait sa patrie...
Ainsi, parla Hermès, bienveillant, sans persuader
les entrailles d'Égisthe : et maintenant, quel prix il a payé !
Athéna dont l'œil étincelle répondit :

....

quand je pense à Ulysse, mon cœur se fend :
l'infortuné ! Depuis longtemps il souffre loin des siens
....
N'est-ce donc plus le même Ulysse
qui t'agréait jadis, sacrifiant près des vaisseaux grecs
dans la plaine de Troie ?

(*Odyssée*, I, 32-62.)

En somme, si nous paraphrasons Zeus (soyons modeste !) en une langue moins olympienne, il apparaît que l'homme a le choix.

L'homme accuse toujours les dieux – c'est commode pour lui. Il pourrait choisir sa propre voie, il préfère se défausser.

L'homme reçoit parfois l'aide d'un dieu qui lui inspire la voie à suivre – comme Hermès le fait.

Mais son *outrance* le perd. Il serait libre pourtant de se contenir. Il n'est que la victime de lui-même et non le jouet d'un dieu intraitable. Et à présent il doit payer le prix de ses débordements.

Mais il existe une issue dans ce malheur : le discernement, la recherche de la bonne vie, l'équilibre et la mesure (ne pas tuer, ne pas convoiter d'autres femmes, rappelle Zeus, avec des mots pareils aux commandements d'un décalogue ultérieur !).

Athéna intervient : c'est à Ulysse que reviendra la charge de répondre à cette grande question de la vie réparée. Transportons-nous par la pensée sur les remparts d'Elseneur au Danemark. Hamlet y promène sa carcasse. « *The time is out of joint, I was born to set it right !* » (« Le temps est sorti de ses gonds, je suis né pour le réinstituer ! ») C'est la mission d'Ulysse.

Ulysse s'accorde à la description donnée par Zeus

de l'homme. Il s'est attiré la rage d'un dieu – Poséidon, en l'occurrence. Il devra payer sa faute sur un chemin d'embûches. L'*Odyssée* sera sa rémission. Au bout de la route, la récompense adviendra peut-être.

Pour l'instant le but visé est son palais pillé par les prétendants.

Seul Ulysse parviendra à réparer ce qu'il a défait.

Seul Ulysse effacera ses outrances.

Seul Ulysse *rejointoiera* le monde.

Seul « Ulysse l'endurant » sera digne de la liberté qu'il avait d'abord déshonorée en l'usant.

À présent, libre à lui d'essayer de se montrer libre.

LA GUERRE, NOTRE MÈRE

« Il n'est rien de plus naturel à l'homme que de tuer. » Cette phrase, sanglot d'un dieu tombant du haut de l'Olympe, est de Simone Weil. La philosophe appelait l'*Iliade* « le poème de la force ».

On aurait pu lui rétorquer que d'autres thèmes le traversent : la compassion, la douceur, l'amitié, la nostalgie, la loyauté, l'amour.

Mais Simone Weil écrivit son texte sur l'*Iliade* dans les années 39-40 en pleine invasion nationale-socialiste, et le fracas des bottes sur les pistes d'Europe électrisait d'effroi toute lecture.

Son sentiment nous révèle une certitude (Homère ne l'aurait pas désavouée) : la guerre est notre grande affaire. Peut-être la plus vieille et la plus éternelle. On la croit endormie, elle se réveille. Les braises couvent sous les cendres de la paix. Et penser qu'une déflagration mondiale est la « der des ders » est probablement le souhait de conscrits embarqués vers le front qui prennent leur espérance pour une certitude et pèchent de n'avoir pas assez lu les fulgurances d'Homère.

Au début de l'*Iliade*, les hommes ne veulent pas la guerre. Après neuf ans de batailles, les Achéens venus de la mer aspirent à rentrer chez eux.

Comme pour toute armée loin de ses bases, le temps a rongé l'ardeur.

Les hommes rêvent à leurs foyers.

Rien n'est plus nostalgique que les nuits d'un soldat, Napoléon le savait qui prétendait préparer ses batailles en consultant le songe de ses hommes au bivouac.

Même Agamemnon, l'Atride, en convient : l'expédition de Troie est un échec et il faudrait songer au retour. Dès les premiers vers de l'*Iliade* sont contenues les aspirations du roi achéen à retrouver la patrie :

Neuf années ont passé, neuf années de l'immense Cronide,
et le bois de nos nefs a moisi, les cordages se rompent.
Nos épouses, c'est sûr, et nos enfants en bas âge
restent assis à guetter au palais. C'est une œuvre impossible,
hors de notre portée, qui nous fit venir sur ces rives.
Comme je vous l'ordonne, obéissons tous à mon ordre :
fuyons d'ici sur nos nefs vers le doux pays de nos pères.

N'espérons plus prendre Troie, la ville aux larges ruelles.
(*Iliade*, II, 134-141.)

Ce sont les premiers chants. Pourtant, malgré l'espoir de ces pacifications, bientôt, le sang va couler, les hurlements recouvriront le fracas du métal.

Pour l'heure, l'humanité, moins désinvolte que les dieux, cherche encore à éviter le massacre.

La voie diplomatique tente de se faire entendre.

Les effets de manche des chancelleries ne sont-ils pas les plus fiables signes des avant-guerres ? Plus les ambassadeurs redoublent de courtisaneries, plus la tragédie approche…

Dans ces premiers chants, nous sommes dans les temps de la composition.

Hector pousse son frère Pâris à se battre en duel contre Ménélas. Celui qui gagnerait emporterait Hélène et les deux armées pourraient regagner leurs camps. Plus tard, il tente encore de métamorphoser la guerre inéluctable en un pugilat entre deux combattants. Il sait, sent que

Zeus au joug suprême n'a pas accompli ses promesses,
il réserve d'affreux desseins aux uns et aux autres,
jusqu'à ce que vous preniez Ilios, citadelle solide,
ou que vous succombiez près des barques fendeuses-des-vagues.
(*Iliade*, VII, 69-72.)

Pour éviter cela, il propose qu'un Grec vienne le défier.

Cette solution pacifiste est un rêve immémorial pour les hommes : transposer la guerre de masses en un duel de chefs. Ainsi donc, les puissants résorberaient le gigantisme du conflit en s'affrontant sur le ring. Chaque adversaire absorberait la charge de représenter les millions d'âmes de son peuple. Ce serait un duel de titans investis d'un pouvoir de représentation.

C'est finalement le principe du putsch contemporain : les princes ou les présidents s'éliminent dans les palais, quelques Judas sont emportés, la masse reste stable.

Imagine-t-on les litres de sang économisés si Alexandre et Napoléon s'étaient battus au sabre devant des témoins à l'aube ? Si le Kaiser et Clemenceau s'étaient affrontés au Champ-de-Mars ?

Et si, aujourd'hui, le sultan Erdoğan défiait la chancelière Merkel au catch ? Pour les Achéens, la solution du duel est un vœu pieux, un rêve de théâtre, un doux fantasme. Car les dieux sont en embuscade, avides de sang humain.

Bref, le blond Ménélas pourrait défier le beau Pâris. Cela réglerait le sort d'Hélène.

En outre le combat ne manquerait point d'allure ! Le cinéaste Christopher Nolan en ferait un sacré épisode.

Les intentions des hommes au début de l'*Iliade* ne sont-elles pas louables ? Les hommes sont las de la guerre. On découvrira bientôt que les dieux finiront par l'être des hommes.

L'*Iliade* et l'*Odyssée* sont des tentatives d'échapper au découragement.

Agamemnon expose les grands principes du duel :

Si Alexandre vient à tuer Ménélas dans la lutte,
qu'il possède Hélène, et tous les trésors avec elle.
Nous reprendrons, quant à nous, les barques fendeuses-des-vagues,
gagnant Argos aux beaux chevaux, l'Achaïe riche-en-femmes !
Si c'est le blond Ménélas qui tue au combat Alexandre,
que les Troyens nous la rendent et tous les trésors avec elle.

(*Iliade*, III, 281-285.)

Cette solution épargnerait tant de sang ! Mais il ne faut pas oublier que les dieux sont bellicistes. Par un stratagème un peu grossier, ils briseront le pacte entre les hommes.

Plus tard, chaque fois que nous assisterons aux chocs des armées, un dieu sera là, à la manœuvre, embusqué derrière les troupes, excitant les ardeurs, encourageant la lutte. Zeus les « poussait à combattre », dit Homère sans tergiverser, pour décrire un assaut troyen conduit par Hector. Quel aveu !

Zeus les poussait à combattre.
Ils allaient, égalant la bourrasque des vents redoutables,
qui, sous la foudre de Zeus notre Père, fond sur la plaine,
dans un fracas divin se mêle au flot – innombrables
vagues tumultueuses de l'onde retentissante,
écumantes crêtes croissant par-devant, par-derrière ;
ainsi les troupes troyennes, groupées par-devant, par-derrière,
étincelantes de bronze, marchaient à la suite des princes.

(*Iliade*, XIII, 794-801.)

Ma mère me chantait une chanson soviétique pendant la Guerre froide : *Les Russes ne veulent pas la guerre.*

Les dieux ne sont pas des Russes, ils aiment la guerre, ils la veulent. Ils poussent les hommes à la faire. Ils divisent pour régner.

À quelque chose malheur est bon, dira plus tard le proverbe populaire.

Les grandes divinités – olympiennes hier, politiques aujourd'hui – prospèrent sur les décombres. Les ruines sont leur terreau fertile. Est-il inconvenant de dire que certaines oligarchies pétrolières tirent du désordre collectif de l'Orient un intérêt privé ?

Une fois lancée par les dieux, la guerre se déchaîne et devient une entité que personne ne peut arrêter. Une force vive.

Hommes ! Il ne faut pas libérer la violence qui dort en nous.

Car on réveille alors une fureur que rien ne pourra apaiser. La guerre se métamorphose en monstre autonome.

On pourrait là renverser la thèse de Simone Weil.

L'*Iliade* est certes le poème de la force, mais aussi celui de la faiblesse.

Car la force en marche dans l'*Iliade*, le choc des glaives et la ruée des troupes cachent une pauvreté... la faiblesse de l'homme face aux dieux qui le poussent à la guerre. La lâcheté de l'homme incapable d'échapper à son destin guerrier, inapte à se consacrer à la bonne vie, condamné toujours à marcher vers le désastre. Comment contredire Héraclite : « Le combat, père de toute chose. » L'Empereur, cité par Balzac dans son *Traité des excitants modernes*, renchérissait : « La guerre est un état naturel. »

Seule chance pour l'homme de tirer sa propre épingle : l'héroïsme. La guerre n'est que la toile de fond banale de la valeur individuelle.

Des individus s'avancent sur le champ de bataille et saisissent leur chance de se distinguer. Le duel, l'aristie (par *aristie*, entendre le catalogue personnel des exploits), l'exhortation, la harangue, l'acte désespéré, la ruée sauvage sont des hauts faits de valeur personnelle qu'Homère ne manque jamais de décrire.

La pensée aristocratique antique cherche partout l'occasion de faire scintiller la vertu surtout dans la mêlée d'une bataille. « C'est le véritable honneur de la Grèce : une victoire de la qualité, de l'intelligence, du courage, du beau et du noble », écrit Michel Déon dans *Le Balcon de Spetsai*.

L'INÉLUCTABILITÉ DU COMBAT

Les hommes n'ont pas d'autre issue que de combattre. L'*Iliade* ressemble au poème de la prédestination. Pour Homère, les sociétés humaines recourent toujours à l'affrontement lorsqu'elles se rencontrent. C'est leur destin, leur fatalité. Le vieux poète a raison. L'Histoire en constitue l'infatigable preuve : l'hostilité a toujours constitué la méthode de relation la plus banale entre les hommes. La paix n'occupe qu'un interlude entre deux conflagrations.

« La paix n'est qu'un mot », dira Platon dans *Les Lois*.

Vivre, c'est tuer, répondent les chants d'Homère.

Il existe une dimension darwiniste dans cette exposition homérique et banale de la violence comme moyen de parvenir à ses fins. Accéder à la gloire, à la richesse, au renom, trouver femme, patrie, s'enrichir, se venger, rétablir un honneur bafoué : tout ce que poursuivent les Achéens les invite à batailler. L'homme, grand fauve à peine domestiqué, ne sait faire que cela, il aspire à l'accomplir aujourd'hui comme il y a deux mille cinq cents ans : se battre.

L'*Odyssée*, après l'*Iliade*, offrira toutefois une échappée : fuir, rentrer chez soi, oublier le cauchemar, réparer les plaies infligées au cosmos en se réinscrivant dans l'ordre ensanglanté. Mais, lecteurs ! n'oublions pas que si vous retrouvez votre petit Liré et la chaumière qui fume, la guerre peut se rallumer. Elle manque d'ailleurs d'éclater à nouveau à la fin de l'*Odyssée*. Zeus priera Athéna de conclure un traité durable. Il reste à espérer que la paix tienne bon et à goûter de toutes nos forces son délicieux sursis.

Dans l'*Iliade*, la guerre dégoûte les dieux, révolte le fleuve Xanthe, épuise les hommes. C'est une étrange despote. Elle nous gouverne malgré nous. Nous l'appelons alors que nous la haïssons. Personne ne la souhaite mais nous créons les conditions de son retour.

Seul Apollinaire trouvera la guerre jolie et détectera dans l'horrible splendeur des orages d'acier les fusées d'une création démente. Mais il y avait chez le poète d'*Alcools* un abîme de désespoir et les fleurs d'obus illuminaient son propre jardin de ruines.

La guerre accable d'abord Achille :

Puisse cette discorde périr chez les dieux, chez les hommes,
et la colère qui rend mauvais le plus raisonnable,
qui, plus douce encore que n'est le miel qui s'écoule,
croît comme une fumée dans la poitrine des hommes.

(*Iliade*, XVIII, 107-110.)

Puis elle désole Homère :

ire funeste, qui fit la douleur de la foule achéenne,
précipita chez Hadès, par milliers, les âmes farouches

des guerriers, et livra leurs corps aux chiens en pâture, aux oiseaux en festin.

(*Iliade*, I, 2-5.)

Mais que faire et qui est coupable, comme disait Lénine sur son lit de mort. Que faire contre quelque chose dont personne ne veut mais qui adviendra ?

Les dieux ont voulu la guerre. Les hommes sont faits pour la mener. Que pouvait-il arriver d'autre ? Le destin de Troie était de tomber. L'*Iliade* se révèle le sismographe de l'inéluctable.

Seule consolation dans ces pages de violence : les adversaires antiques se vouent toujours respect. Certes, quelques insultes fusent dans le sifflement des lances mais les soldats s'affrontent sans haine. La guerre antique est un tournoi sans bave. La violence est extrême mais la torture absente. Le cadavre d'Hector est profané par Achille mais aucun corps vivant n'est souillé. On se tue entre braves, d'un geste guerrier. Pourquoi cette grandeur dans le malheur ?

Parce que les raisons de la guerre ne sont pas idéologiques, ni politiques, religieuses ou morales. Il y a plus de haine dans les déchirements des députés de nos chambres parlementaires que dans les harangues des héros antiques.

Tous les impétrants rendent grâce aux mêmes dieux. Nulle volonté chez les Achéens ou les Troyens d'imposer un dogme, une idole ou de conquérir les âmes. Le temps n'est pas celui de la guerre de *religion*, où l'homme convaincu de sa propre fable voudra l'imposer. L'*Iliade* n'est même pas une guerre territoriale.

Seul règne l'impérieux devoir de réparer l'honneur. Et de se conduire héroïquement.

Depuis les ruées des Troyens contre les Achéens, les générations ont senti s'accumuler au-dessus de leur tête des orages.

Ces tensions magnétiques qui décharnent les nerfs s'appellent des *avant-guerres*. Soudain, le ciel éclate, comme une outre crevée. Une vague se lève. Qui lui fera barrage ?

Les poètes ont décrit, au XXe siècle, ces prémices. Ödön von Horváth dans *Jeunesse sans dieu*, Miklós Bánffy dans *Que le vent vous emporte*. Les soldats, pas plus que les écrivains, ne s'y sont trompés : « Quel est cet orage qui gronde ? Quel est ce signe dans le ciel ? » disent les paroles de la *Marche du 1er commando de France*. Et, puis-je l'avouer ? comme je relisais l'*Iliade* sur les terrasses blanches de l'île de Tinos, je songeais aux événements qui secouent le monde. Partout, du Proche-Orient à la mer de Chine, une mauvaise fièvre monte. Bientôt, dix milliards d'humains connectés les uns aux autres seront en mesure de se jalouser. Et je sentais l'accumulation de ces tensions orageuses, dont seul le déclenchement de la guerre permet de crever la membrane, comme un glaive perce la panse.

Dans l'*Iliade*, au bout de quelques chants d'exposition, la guerre accouche. Elle surgit, bête hideuse, alimentée par sa propre énergie, conduite par son propre aiguillon.

Elle est une « ipséité », pour parler comme les philosophes (et les présidents de la République qui ont lu des livres difficiles), c'est-à-dire *une chose en soi.*

Selon cette prédisposition des Grecs à tout personnifier – passions comme événements –, la guerre se mue en créature frankensteinienne.

Les dieux ont libéré un monstre dans le laboratoire de l'homme. La guerre échappe aux uns et dépasse les autres. Quand Achille déclenche sa furie jusque dans le lit du fleuve, la guerre a envahi les esprits, pollué les éléments et électrisé les habitants de l'Olympe. Elle est une tornade :

Sur tous les autres dieux tomba pesamment la discorde
douloureuse. Leur cœur ballottait dans un sens et dans l'autre.
Ils s'affrontaient en tumulte.

(*Iliade*, XXI , 385-387.)

Même les dieux sont embarqués dans la danse macabre et bientôt la bataille devient sabbat dément, cyclone cosmique.

Le génie d'Homère est d'avoir donné corps à la guerre. Elle va courir le pays, géant dévastant la plaine à grands pas, tels le colosse de Goya ou la faucheuse de Félicien Rops.

Staline, au lendemain de Barbarossa, avait commandé à un poète soviétique un chant destiné à galvaniser les troupes. Et, dans les couplets repris par les Russes, on entendait la personnification parfaitement homérique de la levée d'armes :

Que la noble fureur
Se déchaîne, telle une vague !
C'est la guerre populaire,
La guerre sacrée !

Homère fut le premier artiste à savoir que la pensée peut s'incarner. Il prouvait dans ses chants qu'une pulsion est capable de se matérialiser. Les passions créent les événements et non le contraire. Les événements se muent alors en force incontrôlable. Après le poète aveugle, les écrivains et les penseurs se sont tour à tour emparés de cette idée de l'ipséité de la guerre. Ernst Jünger, dans un texte halluciné, salué par les surréalistes français des années 1920, *Le Combat comme expérience intérieure*, décrivit les Érinyes, chiennes sanglantes, déesses mortifères qui se réveillent, incontrôlables : « Le combat n'est pas seulement notre père, il est aussi notre fils ; nous l'avons engendré comme il a fait de nous. » Dans l'*Iliade*, les hommes font la guerre. Puis la guerre prend corps, prend vie et joue à l'homme.

D'où une certaine vacuité de s'interroger sur les origines de la guerre de Troie. La question agite pourtant l'Université : Zeus voulait-il punir les hommes ? Thétis est-elle cause de la bataille ? Faut-il n'accabler qu'Achille ? Hélène fut-elle un enjeu crucial ou un prétexte narratif ? Doit-on voir une allégorie des poussées stratégiques de l'Asie contre l'Europe ? Une simple guerre de pouvoir entre Priam et Agamemnon ? L'éternel conflit des sédentaires contre les navigateurs ? Une théorie existe même dans les traditions d'exégètes affirmant que Zeus voulait plaire à Gaïa en débarrassant la surface de la Terre de quelques milliers d'hommes devenus encombrants. Ces arguties sont passionnantes, elles ont alimenté les chroniques. Mais elles sont vaines.

N'oublions pas l'image du colosse de Goya arpentant la plaine où meurent les hommes.

La guerre est la compagne de l'homme. Elle rôde sur notre planète, ombre éternelle, chienne aux aguets.

Elle a soif, rien ne l'étanchera. Et l'homme sera toujours volontaire pour calmer sa soif. En somme, la guerre de Troie a eu lieu parce que rien ne pouvait l'empêcher. Et non seulement elle advint, mais d'autres guerres de Troie se déclencheront toujours.

Athéna, au début du poème, circule dans les rangs des Grecs démoralisés. Elle veut exciter l'ardeur. Et Homère dresse ce constat terrible :

elle allait à travers la foule achéenne,
excitant chacun : elle fit jaillir une force
dans les cœurs, ardente, incitant à lutter, à se battre.
Et soudain la guerre devint plus douce à leur âme
que le retour, sur les creuses nefs, au pays de leurs pères.

(*Iliade*, II, 450-454.)

Homère, poète de la lucidité. La lucidité creuse le trou de serrure par lequel nous ne devrions jamais regarder pour ne pas perdre foi en nous-mêmes.

L'OPÉRA-ROCK

Homère (prenant Sun Tzu de court) a toujours décrit l'art de la guerre en technicien. Le *double art de la guerre,* pourrions-nous ajouter. Celui de la puissance pure *et* celui de la subtilité.

Ou, pour dire les choses autrement, la guerre de Patton fonçant dans les Ardennes en 44, et celle de ce diable de Talleyrand fomentant les intrigues !

Achille incarne la force brute. Hector et Ulysse associent à la vigueur la *mêtis,* vertu de la ruse et de l'intelligence.

Homère décrit toute l'amplitude de la guerre. Résonnent dans les pages le tumulte des batailles, le cri des dieux, le fracas des manœuvres. L'*Iliade,* opéra-rock !

Homère ressemble à un réalisateur de péplum assis dans son fauteuil, disposant ses figurants sur le plateau, avant de crier « Moteur ! ». Tous les efforts de l'armada hollywoodienne ne concurrenceront jamais quelques vers éternels.

Parfois, c'est le plan large. Homère domine sa scène. Les armées s'affrontent en masse, le regard s'élève et considère les mouvements à la hauteur de l'Olympe.

Les dieux, en stratèges, occupent la position haute. Yves Lacoste, dans *Paysages politiques*, se fait exégète de la géographie des dieux bellicistes : « Parmi les endroits d'où l'on peut voir un paysage, celui dont la vue est la plus belle est presque toujours celui qui est le plus intéressant dans un raisonnement de tactique militaire. »

À dimension humaine, cela correspond à la colline éternelle des champs de bataille où Napoléon observait le déroulement des opérations.

Homère joint aux mêlées des images oniriques. Il faudrait Kurosawa ou le Terrence Malick de *La Ligne rouge* derrière la caméra :

Les Achéens se déversaient des navires rapides.
Comme aux jours où, nombreux, les flocons du Cronide voltigent,
froids, sous les coups de Borée jaillissant de l'éther en rafales,
aussi nombreux les casques, brillant d'un éclat magnifique,
surgissaient des vaisseaux, et les boucliers ronds à bosse,
les cuirasses fortes-pièces, les lances de frêne.
L'éclat montait vers le ciel. Et de rire, toute la terre,
sous le fracas de l'airain. Le pas des hommes en marche
retentissait.

(*Iliade*, XIX, 356-364.)

Soudain, le plan se serre, l'*œil* du poète s'approche – la *caméra*, devrait-on dire – et les héros s'affrontent, enragés, hors d'eux-mêmes. Ce sont les duellistes furieux. Ridley Scott est à la manœuvre et Sergio Leone considère tout cela avec sa distance cynique. La scène est en 35 mm :

tel un lion fonça l'Atride
Agamemnon.
....
Il écarta Pisandre du char, le poussant contre terre,
ficha l'épieu dans son torse : il chut, renversé, dans le sable.
Hippoloque fuyait : l'Atride l'occit contre terre ;
de l'épée, il trancha ses bras, lui coupa la tête,
tel un mortier l'envoya rouler au milieu de la foule.

(*Iliade*, XI, 129-147.)

Puis le *lecteur* – le *spectateur*, faudrait-il écrire – s'approche encore et découvre, effaré, le gros plan. C'est à croire que les équipes de Peter Jackson ou que les nerds de *Game of Thrones* sont au travail pour nous plonger au cœur du choc.

Mais Homère avait mieux que la GoPro, le drone et les images de synthèse : il avait la poésie.

Puis Démoléon, après l'autre,
fils d'Anténor, intrépide défenseur de ses lignes,
fut atteint à la tempe, à son couvre-chef joues-de-bronze,
mais le casque d'airain ne put faire obstacle : la pointe
de la lance lui brisa l'os ; au-dedans, la cervelle
en fut toute broyée. Il mourut fauché dans sa course.
Hippodamas, à son tour, bondit de son char dans la fuite,
loin devant lui, mais reçut dans le dos la lance d'Achille.
Il exhala sa vie dans un mugissement tout semblable
à celui du taureau tiré vers le maître d'Hélice
par les jeunes garçons pour réjouir l'Ébranleur de la terre.
Il mugissait ; son souffle vaillant quitta son squelette.

(*Iliade*, XX, 395-406.)

Non, Guillaume Apollinaire ! Non, Ernst Jünger ! Nous ne trouverons jamais que la guerre est jolie, nous autres qui ne la connaissons pas.

Homère nous l'assène : elle sera notre lot ineffable.

Nous n'échapperons jamais à son souffle et les foyers d'aujourd'hui – au Moyen-Orient, dans la mer du Pacifique, dans les plaines du Donbass – sont le plus vieil écho de la chose la plus ordinaire.

L'*Iliade* sonne actuel parce qu'il est le poème de la guerre. En deux mille cinq cents ans, la soif de sang pulse toujours. Seul l'armement a changé. Il est devenu plus performant. Le progrès est la capacité de l'homme à développer son pouvoir de destruction.

Le sanglot de la guerre ne se tarira pas. Il court par-delà l'horizon. Nous devrions le savoir et nous hâter de jouir de la paix. Nous devrions nous souvenir qu'Hector ne verra pas son enfant grandir. Nous devrions bénir chaque instant où la paix nous offre de tenir le nôtre sur nos genoux.

La paix paraît un trésor étrange. Celui que nous négligeons quand nous en disposons et que nous regretterons, une fois perdu.

L'*Iliade* constitue le poème en creux de la paix disparue. La paix n'est pas le biotope naturel de l'humanité. Le projet de paix universelle est une construction de philosophe. Elle permet d'échafauder des châteaux spéculatifs pendant que s'aiguisent les glaives de l'âge du bronze et que se préparent les puces au silicium de l'âge du drone.

Lisons Homère et jouissons des fruits de la paix, baisers fugaces disposés parfois pour quelques chanceux dans une décennie terrestre.

L'HUBRIS

OU LA CHIENNE ÉGAREUSE

POURQUOI GÂCHER CES TABLEAUX ?

Croyez-moi en effet, il n'est pas de meilleure vie
que lorsque la gaieté règne dans tout le peuple,
que les convives dans la salle écoutent le chanteur,
assis en rang, les tables devant eux chargées
de viandes et de pain, et l'échanson dans le cratère
puisant le vin et le versant dans chaque coupe :
voilà ce qui me semble être la chose la plus belle.

(*Odyssée*, IX, 5-11.)

Telles sont les confidences d'Ulysse aux Phéaciens. Plus loin :

Et la mort viendra me chercher
hors de la mer, une très douce mort qui m'abattra
affaibli par l'âge opulent ; le peuple autour de moi
sera heureux.

(*Odyssée*, XXIII, 281-284.)

Voici formulé le rêve de l'homme grec. Que finissent les guerres et les aventures ! Que vienne le temps de « vivre entre ses parents le reste de son âge ».

Rien ne vaut pour l'homme antique la bonne vie aimable, modestement rythmée, justement équilibrée, réglée sur la mesure du monde, imitée de la nature. La baronne von Blixen avait exporté le projet grec dans la savane africaine, poursuivant à l'ombre du Ngong un idéal « de douceur, de liberté et de gaieté ». Tout plutôt que la tornade de violence sur la plaine de Troie !

Pourquoi l'homme s'acharne-t-il à ravager la douceur ? Pourquoi aspire-t-il à sortir hors de lui-même, « semblable à un fauve » ?

Andromaque reproche à Hector ses pulsions mortifères, alors que son mari revêt l'armure :

Insensé, ton ardeur te perdra ! Sans pitié, tu négliges
et ton enfant petit, et moi, ton épouse dolente,
bientôt veuve de toi...

(*Iliade*, VI, 407-409.)

Pourquoi quelque chose en nous se dérègle-t-il toujours ?

Parfois, cette frénésie flambe, infecte le corps social et devient cosmique. Les Grecs antiques appelaient *hubris* cette démesure.

L'*hubris* est l'irruption déchaînée de l'homme dans l'équilibre du monde, l'injure faite au cosmos.

Par excès de lui-même, l'homme, perturbateur endocrinien de la stabilité universelle, cède à la chienne « égareuse ».

La malédiction de l'homme consiste à ne jamais se contenter de ce qu'il est. Les philosophies religieuses se sont donné mission d'apaiser cette fièvre. Jésus par l'amour du prochain, Bouddha par l'extinction du désir, le Talmud par l'universalisme ; les prophètes, contrairement à Johnny, n'ont qu'un objectif : éteindre le feu.

La chute chez Homère n'est pas la chute de l'homme hors du premier jardin mais le bouleversement de l'ordonnancement d'un jardin idéal.

Qui d'entre nous n'est pas tiraillé entre le désir de cultiver son jardin et celui de sauter à la gorge de l'aventure ?

Quand on oublie de tenir la bride courte à ses passions, on verse dans l'*hubris*.

Par ma folie, confessera Hector, j'ai causé la perte des miens (*Iliade*, XXII, 104). Souvent, sur la plaine de Troie, un guerrier dépasse toute retenue et laisse la ruine derrière lui.

Il s'attire alors la colère des dieux. Car les dieux, êtres sensiblement faibles, pardonnent tout, sauf la démesure dont ils sont parfois les artisans.

L'*hubris* se saisit tour à tour des héros combattants. Elle circule en fluide entre les hommes, les pénètre, toxine contagieuse. Comme la *rumeur* du *Barbier* de Rossini, elle court, furet de malheur.

Grecs ou Troyens, les guerriers se repassent la vérole. Ils disjonctent, dirait-on dans notre modernité électrique. Alors, rien ne les arrête.

Ménélas en plein combat offre sa propre définition de l'*hubris* :

On vous arrêtera, si vaillante que soit votre fougue.
Zeus, notre Père, on te dit supérieur à tout autre en sagesse,
homme ou dieu, et tout, de toi, provient et s'achève :

quelle faveur accordes-tu donc à ces gens sans vergogne,
à ces Troyens dont l'ardeur n'a pas de frein, qui ne peuvent
se rassasier des combats de la guerre égale et commune !
La satiété vient à bout de tout, de l'amour et du somme,
de la chanson suave et des danses irréprochables,
et ce sont là des choses plus appétissantes encore
que les combats ! Mais eux, les Troyens, en sont insatiables !

(*Iliade*, XIII, 630-639.)

Achille incarne le sommet de l'*hubris*. À Troie, il s'est d'abord retiré du combat, humilié par Agamemnon. Il renvoie Ulysse venu le prier de se joindre au combat. Mais, quand son ami Patrocle est tué, il se décide. Il lâche alors ses propres démons et sa rage se mue en fureur.

Sur la plaine de Troie déferle la vague de sang. Une *possession maléfique* se met à l'œuvre, dirait-on si l'on utilisait un vocabulaire anachroniquement chrétien. La colère d'Achille effraiera jusqu'aux dieux de l'Olympe.

Le héros divin laissa sur la rive sa lance,
contre les tamaris, et bondit, tel un dieu magnifique,
avec sa seule épée, tramant dans son cœur des misères.
Il frappait à la ronde. Un sanglot retentit, effroyable,
sous les coups de son glaive, et les eaux rougirent, sanglantes.

(*Iliade*, XXI, 17-21.)

Achille enlève des enfants, massacre sans écouter la moindre supplication, égorge, décapite. L'*hubris* est une rivière sans retour, mais une rivière de sang dont seuls les dieux seront le barrage. La colère démesurée d'Achille finira par les révulser.

Les Grecs appelaient *aristie* ces épisodes où le guerrier en transe ne pouvait plus arrêter le moulinet de ses bras et décrochait un tableau de chasse effroyable. Homère met souvent en scène des *aristies* de guerriers possédés.

Les aristies de Diomède, de Patrocle, de Ménélas, d'Agamemnon lui-même sont des épisodes qui traversent le chant, flashs narcotiques. Un déluge de feu, de fer et de sang s'abat sur la troupe. Et le lecteur moderne ne peut s'empêcher de se souvenir des hélicoptères de combat UH.1 Huey de l'US Air Force ratiboisant un village de pêcheurs vietnamien pendant qu'explosent les cuivres de la chevauchée wagnérienne dans l'*Apocalypse Now* de Coppola. L'*hubris* est une apocalypse d'avant la révélation :

avec la même fureur, Diomède attaquait l'adversaire.
Astynoos, Hypéiron furent tués, ces bergers de leurs hommes,
l'un, par le bois coiffé d'airain heurtant sa poitrine,
l'autre, par l'épée qui frappa, tout près de l'épaule,
sa clavicule, scindant en deux l'épaule et la nuque.
Les délaissant, Diomède assaillit Abas, Polyide,
fils d'Eurydamas, le vieillard interprète des songes,
mais qui, le jour du départ, avait négligé leurs oracles :
le puissant Diomède les massacra l'un et l'autre.

(*Iliade*, V, 143-151.)

L'aristie homérique est une vieille rengaine de l'histoire mondiale. Les *berserkir*, hommes-loups ou hommes-ours des traditions germaniques et des sagas scandinaves, désignaient les guerriers initiés aux secrets des sociétés souterraines. Les rituels leur octroyaient une « force magico-religieuse qui faisait d'eux des carnassiers », écrit Mircea Eliade[1]. Ils terrorisaient les adversaires. L'expression *furia francese*, forgée pendant les guerres de la Renaissance, désigne le même tourbillon de l'armée française. Napoléon utilisa la formule et, quand Murat emmena ses dix mille cavaliers charger les troupes russes d'Eylau, ne dirait-on pas ces fauves homériques lâchés en *berserkir* sur la plaine de Troie ?

Tempérons d'un bémol ces enthousiasmes martiaux. N'y aurait-il pas un penchant autodestructeur dans ces libérations ? La *furor* antique pourrait désigner un désir d'en finir. En rage, l'homme partirait vers un gouffre espérant vaguement que quelque chose l'arrête, main d'un dieu ou flèche fatale. L'*hubris*, forme de suicide mythologique ?

On ne peut s'empêcher de diagnostiquer une pulsion de mort dans la rage d'Achille à entraîner le monde entier, cosmos, hommes et éléments, au cœur de ses ténèbres. Sur les remparts de Rome, Néron allumait son propre bûcher et voulait « que tout périsse » puisqu'il allait mourir.

---

1. *Initiation, rites, sociétés secrètes*, 1959.

L'ULTIME PUNITION

Neuf jours après la mort d'Hector, Achille continue à souiller le corps de sa victime. Zeus convoque Thétis sur l'Olympe et lui lance ses ordres :

> Va rejoindre ton fils au camp, donne-lui mes consignes :
> dis les dieux indignés contre Achille, et, plus que les autres
> dieux immortels, moi-même, furieux que dans sa rancune
> il expose Hector, près des barques cornues, sans le rendre :
> qu'il restitue Hector, ou qu'il redoute ma force !
>
> (*Iliade*, XXIV, 112-116.)

L'homme peut donc finir par dégoûter les dieux.

C'est le paradoxe de l'*hubris* : conspuée par les dieux, elle est par eux entretenue. Un homme tente d'y échapper, un dieu l'y repousse. Finalement, les dieux ne sont pas bons avec nous. Pis ! ils nous méprisent. Ainsi d'Apollon, décrivant les hommes à Poséidon :

> êtres vils, qui, semblables aux feuilles, tantôt resplendissent
> de leur éclat et consomment alors le fruit de la glèbe,
> tantôt se perdent, se consumant, sans courage.
>
> (*Iliade*, XXI, 464-466.)

Il faudra attendre la révélation chrétienne pour que s'instaure la tendresse du créateur envers ses créatures. Pour l'heure, les dieux poussent les hommes à la guerre, cette « subordination de l'âme humaine à la force », selon Simone Weil.

Ulysse lui-même, pour avoir révélé son nom au Cyclope – forme d'*hubris* par orgueil –, déclenchera la colère de Poséidon. Qu'on s'empourpre de rage ou que l'on fanfaronne, même forfait : on a dérogé à la règle de la constance.

Plus tard, les chrétiens inventeront la notion de péché, véniel ou originel. Mais le principe est semblable : une faute se paie. L'absence de théorie morale empêchait les Grecs de peser les actions dans la balance du bien et du mal. Ils préféraient juger de ce qui s'accordait à la mesure naturelle et de ce qui l'insultait.

L'*Iliade* met en scène un basculement permanent des forces. Et le malheur se distribue toujours équitablement aux uns comme aux autres. Le faible est un ancien fort. Le fort ne perd rien pour attendre. Achille, devenu le plus puissant des guerriers, sera soudain poursuivi par la vague du Scamandre.

La force chez Homère n'est jamais une donnée éternelle. Elle se renverse toujours et le héros triomphant sera un jour banni dans les Enfers.

Ainsi va le destin comme un battant d'horloge. Vous ne perdez rien pour attendre, grimace Homère quand il décrit la victoire d'une armée sur l'autre. Et, de fait, la roue du destin s'avance d'un cran et l'armée victorieuse se débande devant la contre-attaque.

Le pessimisme d'Homère s'exprime là : « Les

vainqueurs et les vaincus sont frères dans la même misère », théorise Simone Weil. Le vent tourne sur la plaine.

Ces retournements de la fortune étourdissent le lecteur. Au final, seuls les dieux, c'est-à-dire les marionnettistes de notre pauvre *commedia dell'arte*, s'y retrouvent.

L'HUBRIS NE S'ÉTEINT JAMAIS !

Quand les hommes versent dans la démesure, ils sont grotesques. « Ce qu'ils veulent, ce n'est rien moins que tout », écrit Simone Weil. Ce *rien moins que tout* est une claquante définition de l'*hubris*. « Tout, tout de suite », renchérit la société de l'abondance. Et « sans entraves », s'il vous plaît !

Bientôt, le Scamandre débordera pour nous faire payer d'avoir arraisonné la nature.

Le tombereau de déchets sous lequel nous ensevelissons la planète ne ressemble-t-il pas à ces charretées de corps versées par Achille dans le fleuve ? Le cours d'eau révulsé vomit les corps : déjà, mes flots charmants sont pleins de cadavres (*Iliade*, XXI, 218). Il se rebelle et décide de punir Achille :

Frère chéri, **crie le fleuve au fleuve Simoïs, son voisin,** arrêtons tous deux l'ardeur de cet homme,
qui va détruire la grande cité de Priam, noble maître :
les Troyens ne résisteront pas dans cette bataille.
Viens au secours, tout de suite, et remplis de l'onde des sources
les courants de tes flots, puis excite partout les rivières,
dresse une vague énorme, soulève un immense vacarme

d'arbres et de rochers, arrêtons cet homme sauvage,
qui l'emporte à présent et enrage de rage divine.

(*Iliade*, XXI, 308-315.)

On pourrait comparer cette colère du fleuve aux convulsions de la Terre écorchée jusqu'à l'os par l'avidité des huit milliards d'humains connectés à la grande foire d'empoigne de l'orgie mondiale.

Au cours de mes voyages, j'ai toujours associé deux images à la leçon du Scamandre. Celle de la mer d'Aral et celle des temples d'Angkor. L'une a été vidée par la démiurgie de l'homme. Les autres sont recouverts de jungles, et les racines des arbres disloquent les fondations cyclopéennes. Dans l'Aral, l'homme a manifesté sa démesure. Même le ciel s'en est offusqué et, aujourd'hui, les nuages portent un voile de poussière noire. À Angkor, la nature a prouvé qu'un jour tous nos échafaudages seront recouverts d'un linceul.

En Aral, la punition de notre orgueil.

À Angkor, son ensevelissement.

Tout passe, tout coule, tout s'efface, savait Héraclite avant Socrate. Homme ! nous dit Homère, ta démesure ne résistera pas aux dieux. Pourquoi t'obstines-tu à vouloir te hisser au-dessus de toi-même ?

Peut-être vivons-nous aujourd'hui une *Iliade* ? Il faudrait remplacer la colère d'Achille par l'expression de notre arrogance technicienne. Dans sa conférence sur la technique, Heidegger parlait de la *mise en demeure* faite à la Terre de nous livrer ses ressources. Cette réquisition de la Terre, cet arraisonnement, s'apparente à l'*hubris*. Les dieux arrêteront Achille. Le philosophe de la Forêt-Noire pensait que seul un poète pourrait nous sauver de notre insatiabilité. Nous l'attendons.

Apollon avait déjà prévenu Diomède qui se ruait pour tuer Énée :

> Fils de Tydée, attention, méfie-toi : recule ! N'élève pas tes pensées jusqu'aux dieux.
>
> (*Iliade*, V, 440-441.)

Finalement, l'*hubris* est ce point de bascule. L'homme se prend pour un dieu – ou un démiurge, restons modeste – et contredit la juste assertion de Protagoras au ve siècle avant J.-C. : « L'homme est la mesure de toute chose. »

Nous devrions y penser à deux fois à l'aube du

siècle XXI ! Ne l'entendez-vous pas, la mise en garde homérique ? Nous menons une guerre de Troie contre la nature. Nous avons soumis la Terre à notre bon vouloir. Nous l'avons pliée à notre seul désir, nous avons trafiqué l'atome, la molécule, la cellule et le gène. Bientôt, nous augmenterons l'homme, prédisent les laborantins de la technoscience. Nous avons accompli notre expansion totale et sommes huit milliards à attendre de la Terre qu'elle nous sustente. Nous avons éteint des espèces et cimenté des sols. Notre technique nous a permis de faire main basse sur les trésors souterrains, de libérer les hydrocarbures organiques pour les propulser dans l'atmosphère, de redessiner les territoires et, selon ce vers abject d'Émile Verhaeren, de « recréer les monts et les mers et les plaines d'après une autre volonté ». À présent, nous louchons vers les satellites de la planète, la Lune, Mars. Qui se souvient de Laïka ? Le premier être vivant envoyé dans l'espace a flotté longtemps dans le vide sidéral. C'était une chienne soviétique dont les cosmonautes savaient qu'elle ne reviendrait pas. Voilà l'homme : son premier salut aux dieux est un chien crevé. Il ne faut pas être un écologiste militant pour s'apercevoir que l'humanité est sortie de son axe. Que les forces se déchaînent. Celles des hommes dressés les uns contre les autres. Celles des hommes tous unis pour ravager leur biotope. Les hommes sont devenus Achille. Le Scamandre a déjà débordé.

L'HUBRIS PAR AUGMENTATION

Comme Homère rirait s'il apprenait que nous parlons d'« augmenter la réalité », de repousser les limites, d'explorer des planètes, d'atteindre des espérances de vie de mille ans. Comme ils grinceraient, les dieux grecs, en s'apercevant que des chercheurs de la Silicon Valley se félicitent de recomposer un monde technologique au lieu de se contenter de celui dont ils disposent et d'en protéger la fragilité. Quel étrange phénomène ! On assiste à un enflammement du désir de créer une autre réalité au fur et à mesure que la réalité immédiate se dégrade autour de nous. Plus l'homme salope ses alentours, plus les démiurges du monde virtuel promettent des lendemains technologiques et plus les prophètes annoncent les paradis d'outre-vie. Quelles sont la cause et la conséquence de l'usure du monde ? Ceux qui veulent augmenter la réalité cherchent-ils une solution à la dégradation du monde ou en sont-ils les accélérateurs ? C'est une question homérique, car elle renvoie à la vénération simple des richesses réelles du monde, au danger de se prendre pour un dieu, à la nécessité de mesurer ses forces, de restreindre ses appétits, à l'impératif de se contenter de sa part d'homme.

Les guerres se succèdent sur la Terre depuis l'aube paléolithique. La guerre peut certes être considérée comme l'état ordinaire du contact entre les hommes. Mais autre chose se passe depuis les révolutions industrielles du XIXe siècle : une modification du réel inédite dans l'histoire de l'humanité. Il semblerait que l'homme ait réuni toutes ses forces pour remporter la lutte contre le monde. La nature n'est plus à la manœuvre, dictant ses lois, imposant ses tempos, indiquant ses limites. Là, se situe l'*hubris* de notre temps et non pas dans telle manœuvre des fanatiques musulmans.

Relisons l'*Iliade*, écoutons Apollon et sachons qu'il en cuit toujours de souiller le Scamandre.

HOMÈRE

ET LA BEAUTÉ PURE

De quoi Homère est-il le nom ? D'un génie solitaire errant sur le rivage ou d'une bande de bardes s'échelonnant au long des siècles ? Il a légué une parole divine. L'*Iliade* et l'*Odyssée* ont certes une valeur documentaire mais scintillent avant tout en joyaux. Quand on tient un diamant dans les mains, on ne s'éberlue pas de la structure moléculaire du carbone, on s'émerveille d'abord des reflets. En 1957, l'historien Bernard Berenson avouait : « Toute ma vie, j'ai lu des travaux sur Homère, philologiques, historiques, archéologiques, géographiques, etc. Désormais, je veux le lire seulement comme de l'art pur »... Va pour l'art pur !

LA SACRALITÉ DU TEXTE

Notre époque s'hypnotise d'images. Nous préférons une GoPro à un *propos*, nous croyons qu'un drone élève la pensée et nous voulons de la haute définition avant d'avoir quelque chose à définir. Dans les temps homériques, la poésie régnait, le verbe était sacré. Les mots s'envolaient, « ailés » selon Homère. Pour un héros, inscrire son propre nom dans l'épopée constituait une gloire ! On s'enracinait dans la mémoire des hommes, le verbe octroyait sa part d'immortalité. En bref, la parole consacrait l'existence. Les Muses n'étaient-elles pas les filles de la Mémoire et de Zeus ?

Un soir, Ulysse est invité à la table des Phéaciens. Personne ne le reconnaît. Il demande au ménestrel de service de raconter un épisode de la guerre de Troie. Il entend son nom cité, et, par la grâce du récit, comprend qu'il a été *incorporé* au souvenir collectif. Il a passé la ligne, triomphé de l'oubli.

Raconter des histoires est le propre de l'homme. Les bêtes, elles, n'écrivent pas de romans.

Un demi-millénaire après Homère, quand Alexandre le Grand franchit l'Hellespont, en 334 avant le Christ, et visite le tombeau d'Achille, il proclame que l'invincible guerrier de Troie était un héros heureux « puisqu'il avait rencontré Homère comme héraut de ses hauts faits ». C'était le temps où la gloire ne consistait point à dépasser le million de clics, mais à être chanté par un poète, un de ces aèdes « aiguillonnés par le dieu ». Comme je prêche pour la paroisse des lettres, je regrette ces temps où :

De tous les hommes de la terre, les aèdes
méritent les honneurs et le respect, car c'est la Muse
aimant la race des chanteurs, qui les inspire.

(*Odyssée*, VIII, 479-481.)

C'étaient les siècles de la parole. Ils reviendront peut-être.

Parler était une vertu comparable à l'art de guerroyer. L'aède figure d'ailleurs en bonne place sur le bouclier d'Héphaïstos, ce pavois représentant le spectre des actions humaines. Les poèmes se prononçaient à haute voix et l'aède s'accompagnait d'un instrument à cordes. Il nous en est resté la représentation symbolique du poète muni de sa lyre. La lecture à voix basse telle que nous la pratiquons aujourd'hui est une opération récente. Elle date du haut Moyen Âge. Beaucoup de saints lettrés la réprouvaient, y voyant un repliement et, pis ! un dévoiement.

Je serais prêt à militer pour le retour aux lectures proclamées à gorge déployée sur la place publique. Mme Hidalgo[1], génie de l'Olympe, inventerait une

1. Note aux jeunes générations : nom du maire de Paris en 2018.

de ces nuits blanches dont elle a le secret. On appellerait l'événement « Toutes et tous en toge » et on hurlerait l'*Iliade* à plein tube dans l'agora parisienne.

Écoutons le génie de la Muse par la voix d'Ulysse. Nous sommes devant les remparts de Troie. Le roi Agamemnon propose à ses troupes de cesser le combat. Il cherche à les éprouver. Les hommes se battent depuis neuf ans. Chacun aspire à regagner son foyer. C'est sans compter sur l'exhortation d'Ulysse. Il conspue Agamemnon et harangue les guerriers :

Il se tut. Les Argiens hurlèrent. Autour des navires
retentit la terrible clameur de la foule achéenne :
ils approuvaient le discours que tenait le divin Ulysse.

(*Iliade*, II, 333-335.)

Les mots d'Ulysse ont saisi le cœur de la troupe. Homère signale tout au long du poème le pouvoir ravigotant de la parole. Elle insuffle la force dans les esprits abattus et les âmes en détresse. Comme la lumière du soleil réveille un corps après une nuit de bivouac, elle ranime la vigueur. En cela elle est divine.

Pour le Grec, le verbe s'est fait force. Mieux ! il est presque un dieu

Sans cesse, dans l'*Iliade*, nous entendrons un

guerrier ou un dieu, debout sur la barricade, lançant ses incantations à sa troupe découragée. Il associera toujours la force physique à l'art oratoire. Et il relancera l'assaut par la puissance des mots. L'injonction soulèvera les hommes ! Ainsi l'exhortation de Poséidon :

Honte sur vous, jeunesse d'Argos ! Pour ma part, j'ai confiance
que, par votre combat, vous sauverez nos navires.
Mais si vous désertez la douloureuse bataille,
il est venu, le jour où la foule troyenne nous dompte.

(*Iliade*, XIII, 95-98.)

Ainsi du discours de Diomède devant sa troupe harassée par les avancées troyennes :

À ces mots, les fils d'Achaïe tous ensemble hurlèrent,
réjouis du discours de Diomède.

(*Iliade*, VII, 403-404.)

Ainsi des imprécations d'Achille sorti de sa bouderie, et incitant ses hommes à suivre Patrocle son double, son frère :

Allez le cœur fougueux combattre la foule troyenne !
Il excitait par ses mots l'ardeur et le cœur de chaque homme.
Après avoir entendu le roi, les rangs s'affermirent.

(*Iliade*, XVI, 209-211.)

N'est-ce pas enthousiasmant d'entendre ces guerriers tribuns ? Ils font vibrer les leurs avec de simples mots. La parole perfuse son élixir. Elle accorde sa force.

Pour nous autres contemporains du siècle digital, ces exhortations paraissent impossibles. Deux mille cinq cents ans après les appels des héros troyens, les écrans se sont dressés entre nous et le monde, l'image a détrôné les mots, elle influence le cours de l'Histoire. Qui se ruerait encore à l'assaut, galvanisé par un discours ?

Au cours des années 2010, au début de la crise des réfugiés, dans la même mer que parcouraient les nefs achéennes, des hommes fuyaient les exactions des musulmans fanatiques. Les « migrants » (en novlangue dans le texte) échouaient sur des plages, se noyaient en pleine mer. Des reporters, des romanciers l'écrivaient en vain. C'est l'image photographique d'un petit garçon échoué sur une plage qui amena les dirigeants européens à l'action. Ils ouvrirent les frontières. Une photographie déclencha la décision. Un texte, ne pèsera plus sur le cours des choses. Il n'y aura plus d'appel du 18 juin, ni de Diomède sur le champ de bataille, déclamant son objurgation. L'esprit des mots ne meut plus le corps des masses.

Homère, dans l'*Iliade*, s'avoue parfois épuisé de cette valeur magique de la parole :

Dire tout, comme un dieu, la tâche m'est douloureuse.

(*Iliade*, XII, 176.)

Pourtant, c'est en vertu de sa force mantique que le verbe mythologique a traversé les millénaires pour parvenir à nous.

LA POÉSIE PURE

Sur la beauté formelle de ces textes, Jacqueline de Romilly avait une théorie. La très complexe méthode d'écriture de l'époque commandait une écriture définitive. La difficulté technique aurait aiguillonné le style. Imaginons Homère dictant son poème à un scribe. Il était si difficile de porter une phrase sur le papyrus avec le pinceau qu'il fallait la ciseler parfaitement avant même de la coucher. Chacune se sertissait alors dans le texte comme un diamant définitif dans la couronne.

Le style d'Homère répond à deux caractéristiques majeures. Elles font briller le texte comme pétille la Méditerranée sous le soleil. Grâce à elles, on reconnaît la musique d'Homère.

Il y a le recours permanent aux épithètes et l'utilisation des analogies.

L'épithète adoube le nom. La comparaison relance le rythme.

Les adjectifs et les comparaisons ! Nos maîtres d'école nous enseignèrent de ne pas trop user des uns ni d'abuser des autres. « Cela fait lourd ! » disaient-ils, en nous rendant des copies balafrées d'encre rouge. Avaient-ils entendu cette description de l'immense ébranlement des armées achéennes sur la plaine de Troie :

Comme le feu dévorant embrase des bois innombrables,
au sommet d'un mont, et au loin apparaît sa lumière,
ainsi, tandis qu'ils marchaient, l'éclat formidable du bronze
resplendissait, à travers l'éther, jusqu'aux cimes célestes.
Comme les peuples d'oiseaux, espèce nombreuse et volage
– ou des oies, ou des grues, ou des cygnes au col qui s'étire –,
dans la plaine d'Asias, le long des flots du Caÿstre,
volent de toutes parts d'une aile forte et joyeuse,
puis, criaillant, se posent à terre, et la plaine résonne,
ainsi les peuples nombreux, quittant baraques et barques,
se répandaient dans les prés scamandriens : et la terre
retentissait bruyamment sous les pas des chevaux et des hommes.

(*Iliade*, II, 455-466.)

Homère convoque dans un ruissellement de mots les images de la nature. Les analogies élégiaques aident le poète à rompre la tension narrative. Elles signalent que le monde est une vibration unique où bêtes, hommes et dieux sont embarqués dans la même aventure, complexe et explosive. La beauté de la révélation païenne se dévoile : tout est lié et uni dans le vivant multiple. Un Grec n'aurait jamais la lourdeur d'esprit ni la laideur d'âme de décréter qu'un dieu pourrait être unique ni extérieur à sa création.

Les analogies sont de quatre natures. Elles font référence aux animaux, aux végétaux, aux phénomènes météorologiques, aux scènes pastorales. Les élégies reflètent les menées humaines.

Parfois, les phénomènes cosmiques symbolisent l'ordre qui règne dans l'univers, harmonieux, cruel, éternellement tragique, souverainement parfait et, parfois, démoli :

Comme la terre obscure subit le poids de l'orage,
à l'arrière-saison, quand il verse les pluies les plus rudes,
Zeus ! quand courroucé il s'emporte contre les hommes,
qui, sur la place, insolents, prononcent de torves sentences,
et, méprisant les dieux, expulsent toute justice ;
tous leurs torrents s'emplissent, charrient des fleuves énormes,
et des ravins se forment, désagrégeant les collines,
qui, s'effondrant vers la mer pourprée, lourdement retentissent,
depuis le haut des monts, détruisant les cultures des hommes ;
courant ainsi, les chevaux troyens lourdement retentirent.

(*Iliade*, XVI, 384-393.)

La beauté de ces images, leur acuité, indique qu'Homère – tout aveugle qu'il fut – a dû être un observateur amoureux des collines, un jouisseur, un arpenteur du sol, un dormeur des nuits de grand vent. Sans doute a-t-il aimé naviguer, pêcher, bivouaquer sur les collines, se saouler aux étoiles et humer le grain des récoltes. Il a vu les rapaces chasser les tourterelles, la mer en furie déborder par-dessus le plat-bord des nefs et les moutons rentrer dans l'or du soir.

Sinon, ces descriptions ne constitueraient pas d'aussi justes tableaux. On peut s'improviser photographe mais pas élégiaque. L'imagination ne s'invente pas.

La prospérité des bêtes et des plantes dans le texte donne à Homère l'occasion de dresser la hiérarchie verticale du monde.

En haut, les dieux ; en bas, les bêtes. Entre les deux, le monde ou les hommes, les héros et les monstres se partageraient les échelons. Parfois, l'homme est ramené à sa part animale, et c'est pour le critiquer dans sa violence qu'Homère le compare au fauve. Ainsi Apollon parlant d'Achille,

qui ne possède ni cœur sensé, ni pensée flexible
dans sa poitrine : comme un lion, il n'agit qu'en sauvage –
lion asservi à sa grande force.

(*Iliade*, XXIV, 40-42.)

L'usage des comparaisons est pour le poète l'occasion de rappeler que le monde ne se réduit pas à une dalle de ciment où pas une tête ne dépasserait, où tout se vaudrait, rapporté à ce hideux principe de l'égalité. Pour les bêtes comme pour les hommes : chacun tient sa place dans l'édifice. Certains sont plus forts, plus beaux, mieux doués que les autres, plus nobles, plus adaptés. Et si le loup dévore la génisse, c'est parce que la nature a permis cette fatalité : une bête est dotée de crocs, une autre est un paisible herbivore ; la première mangera la seconde. Il ne faut pas déranger l'ordre initial. La beauté du monde est assujettie à l'injustice. Celle-ci gouverne les choses.

Mais cependant, comme un lion féroce s'attaque à des vaches
qui vont paissant dans l'humide prairie d'un grand marécage,
par milliers ; leur berger, au milieu, ne sait comment faire
pour empêcher que le fauve ne tue les bêtes à cornes ;
il va toujours après la dernière, avant la première,

marchant du même pas, mais le fauve dévore une vache
au milieu, et toutes s'enfuient ; ainsi la panique
prit les Argiens, effrayés par Hector et par Zeus notre Père,
tous : le seul qu'il occit fut un Mycénien, Périphète,
fils de Coprée, qui venait jadis porter les annonces
des travaux d'Eurysthée à la force héracléenne.

(*Iliade*, XV, 630-640.)

À convoquer la perfection de l'organisation naturelle, la grâce des bêtes, la gloire des phénomènes et la vigueur des plantes, Homère cerne l'une des facettes du divin. Est divin ce qui se tient dans la *présence pure*, dans l'explosion du réel. Le divin miroite dans la complexité immanente de la nature. Il y est incorporé.

Homère compare la vanité de l'homme et la fragilité des formes biologiques. Chaque être de la Terre se voit infliger malgré lui sa naissance, et aucun ne sait *le jour ni l'heure* de sa mort. La nature, toujours renouvelée et toujours détruite, donne à Homère l'occasion de sonder le mystère de la vie, l'énigme de sa surabondance.

Telles les races des feuilles, telles les races des hommes :
tantôt tombant sous le vent, tantôt s'accroissant innombrables,
sous la poussée des forêts, quand survient la saison printanière ;
ainsi des générations : l'une croît et l'autre s'efface

(*Iliade*, VI, 146-149)

dit Glaucos à Diomède.

Peut-on observer un nuage d'étourneaux ou un banc de sardines, en croyant encore à notre propre importance ? L'infinie prodigalité de la nature dans le recommencement d'elle-même (aussitôt promis à la mort) est le signalement de notre vacuité. Cette question de la fertilité de la Terre sera l'une des térébrantes interrogations du monde grec. D'où procède la fecondité écœurante et sublime de la nature ? Pourquoi ces gâchis ?

Homère joue à convoquer les formes de l'enfantement monstrueux : abeilles, loups, génisses, dauphins, moutons et colombes, chauves-souris, asphodèles, serpents, oiseaux de proie... Peut-être faut-il voir dans cet appétit à décrire la *verve féconde* une définition du paganisme : être païen, c'est saluer les visages du vivant et vénérer la matrice dont ils procèdent sans se préoccuper de leur fin. Homère regarde le monde d'un œil avide, son scribe tient le pinceau prêt à la description. Mettre un mot sur un des éclats, c'est s'adonner à la célébration de ce que Camus appelle « les noces de l'homme et de la terre, le seul amour vraiment viril en ce monde : périssable et généreux[1] ».

Être païen consisterait à se tenir devant le spectacle du monde et à l'accueillir sans rien espérer – aucun lendemain qui chante (cette tartufferie !), aucune vie éternelle (cette farce !). Il ne faut rien chercher d'autre que les signes de ce qui advient. Tout est beau dans ce qui se dévoile (*Iliade*, XXII, 73), dit Priam, le roi de Troie. Oui, tout est beau et les mots sont les serviteurs de ce dévoilement. Charge à eux d'exprimer le kaléidoscope.

Ce monde de splendeurs et de dangers chatoie sans fatigue. Et les vers d'Homère ne s'épuisent jamais à dresser l'inventaire de cette expulsion. Les bêtes et

---

1. *Noces*, 1938.

les plantes sont là, dans l'ordre du monde – gemmes dans le substrat.

Faut-il avoir le cœur sec et l'âme fatiguée pour espérer des paradis hypothétiques, alors que le champ d'émerveillement se déploie là, somptueusement vivant, devant nous.

L'ÉPITHÈTE POUR DIRE LE MONDE

Pour rivaliser avec la magnificence des formes qu'il a la charge de décrire, Homère associe une épithète à chacune des entités avancées sur la scène. Bêtes, hommes et dieux auront le droit à cet adoubement de leur être par le chrême de l'adjectif.

Des spécialistes épris de comptabilité expliquent qu'il s'est agi pour le poète de trouver une manière de respecter la métrique. Les vers d'Homère sont des hexamètres comportant six mesures à deux temps dotés de syllabes courtes ou longues. La complexité de ce solfège amène parfois le poète à des acrobaties de langage pour retomber sur ses pieds. Or, les épithètes lui permettent de qualifier le héros ou le dieu d'une désignation qui s'insère dans le rythme. Selon qu'Athéna soit « la déesse aux yeux de chouette », Athéna « invincible fille de Zeus », Athéna « la déesse aux yeux pers » ou Athéna « excite-peuple », selon que Poséidon soit tour à tour « maître de la terre », « socle du sol », « dieu tremble-terre » ou « dieu boucles-sombres[1] », leur inclusion dans le

1. Ces magnifiques traductions des épithètes sont l'œuvre de Philippe Brunet.

corps du texte sera plus ou moins longue et ajustera ainsi la scansion du vers. Mais c'est là une explication d'apothicaire !

Les exégètes affirmèrent également que ces épithètes garantissaient à l'aède un moyen mnémotechnique lui permettant de s'appuyer sur une tournure formelle pour relancer la récitation et que les bardes yougoslaves capables de réciter sans effort dix mille vers recouraient à ces béquilles.

Nous avons la faiblesse de penser que l'usage des épithètes possède une fonction plus noble que l'ajustement métrique ou le soutien mnésique.

Les épithètes manifestent l'essence du sujet auquel elles sont attribuées. L'adjectif est un nimbe autour de l'être. Il dessine l'*aura* du héros, l'ADN de l'âme. Le dieu, le héros ou l'homme avance, blasonné d'épithètes, révélé dans sa présence par la grâce des qualificatifs. Savoir Achille « destin-rapide », « divin-visage », « cher à Zeus » ou « preneur de villes » épargne les descriptions. De même que notre regard, sans que nous sachions pourquoi, reconnaît fugacement la silhouette d'un personnage aimé quoique à peine entrevu, de même l'épithète signale le héros en un mot.

Ulysse est « l'homme aux mille ruses », « aux pensées chatoyantes », « l'endurant », le « fils généreux de Laërte ». Le héros le plus complexe d'Homère recueillera le plus d'épithètes.

Et voilà les héros engagés sur la scène suivis de leur épithète comme d'une ombre : Diomède « le bouillant », Aphrodite « amie des sourires », Hector « casque-flamme », Héphaïstos « l'illustre artisan »,

Idoménée « meneur d'hommes », Iris « pieds au vent », Phénix « cocher respectable ». Zeus sera tour à tour « l'assembleur de nuages », Zeus « qui voit loin », Zeus « tonnerre », ou Zeus « voix immense ». Même la ville de Troie a le droit à son identité psycho-poétique. Elle sera « la ville abrupte », la « ville sainte », la « citadelle portes-hautes », l'« opulente cité populeuse », la « charmante », la « désirable », « aux larges ruelles », la « poulinière féconde ».

Que peut un pauvre barde et son roseau de papyrus devant le chatoiement du monde ? Il risque l'étouffement sous la complexité des choses. À moins d'opposer à l'épaisseur de l'immanence la grâce des épithètes. L'adjectif est l'hommage que le mot rend au manteau d'Arlequin du réel. Il y a une épithète dans l'*Odyssée* qui illustre ce tournoi artistique mené entre l'imagination et la réalité.

Quand Ulysse rentre à Ithaque, il rencontre son vieux porcher. C'est le seul qui a gardé intacts son honneur et sa fidélité. Homère n'emploie justement pas les adjectifs *fidèle* ou *vertueux*. Ce serait trop facile. Le poète emploie l'épithète « divin ». Ce mot a fait couler beaucoup d'encre. Pourquoi considérer comme « divin » un gardien de cochons ? C'est peut-être parce que « divin » exprime précisément ce que cherchent à cerner les épithètes, ce à quoi aspire l'adjectif : l'expression de l'entière manifestation de soi-même, la vérité pure, la force de ce que la présence offre au regard. Être divin, ce serait donc exhaler sa plus pure identité, sans détour, sans masque, sans maquillage. En termes cuistres, l'épithète serait l'épaisseur du *Dasein* heideggérien.

Ce porcher est l'homme sur qui l'on peut s'appuyer. Il n'a pas trahi, il ne convoite rien, il garde en lui le souvenir des temps révolus. Il est fidèle à la mémoire du maître. Il ne varie pas. Il accueille le mendiant sans reconnaître Ulysse. Il est le premier homme *réel* rencontré après les monstres et les magiciennes. Et, de surcroît, il se révèle bon. C'est peut-être cela être divin. S'accorder à soi-même dans la pleine lumière, descendre entièrement dans sa présence, s'harmonier à sa vibration nue, se tenir là, modestement dressé dans le rayonnement de l'existence. Est divin cet homme retrouvé tel qu'il était, vingt ans après avoir été quitté. Le porcher n'est pas devenu ce qu'il est, pour reprendre le mot de Nietzsche. Il a continué à être ce qu'il était déjà devenu : divin. Qui peut se targuer d'une telle épithète ?

BIBLIOGRAPHIE

Pietro CITATI, *La Pensée chatoyante*, Gallimard, « Folio », 2006.

Marcel CONCHE, *Essais sur Homère*, PUF, « Quadrige », 1999.

HÉRACLITE, *Fragments* (trad. Marcel Conche), PUF, « Épiméthée », 2011.

Jacqueline de ROMILLY, *Homère*, PUF, « Que sais-je ? », 2005.

Jean-Pierre VERNANT, *Mythe et pensée chez les Grecs*, La Découverte Poche, 2005.

Paul VEYNE, *Les Grecs ont-ils cru à leurs mythes ?*, Points-Seuil, 2011.

Simone WEIL, *L'*Iliade *ou le Poème de la force*, Rivages Poche, 2014.

TABLE

Reproduit et achevé d'imprimer
par Corlet Imprimeur
en juillet 2018.
Dépôt légal : avril 2018.
Numéro d'imprimeur : 198714.

ISBN 978-2-84990-550-0. / Imprimé en France.